Future
maman
au
jour le jour

Conception graphique de la couverture: Violette Vaillancourt et Nancy Desrosiers
Photo: The Image Bank/G & M DAVID de LOSSY

Conception graphique de la maquette intérieure: Johanne Lemay
Photos: Pono Presse Internationale
Illustrations: Gilles Tibo, extraites de *La merveilleuse histoire de la naissance*

DISTRIBUTEURS EXCLUSIFS

- Pour le Canada et les États-Unis:
  LES MESSAGERIES ADP*
  955, rue Amherst, Montréal, Québec, H2L 3K4
  Tél.: (514) 523-1182
  Télécopieur: (514) 939-0406
  * Filiale de Sogides ltée

- Pour la Belgique et le Luxembourg:
  PRESSES DE BELGIQUE S.A.
  Boulevard de l'Europe 117
  B-1301 Wavre
  Tél.: (32-10) 41-59-66 ou (32-10) 41-78-50
  Télécopieur: (32-10) 41-20-24

- Pour la Suisse:
  TRANSAT S.A.
  Route des Jeunes, 4 Ter
  C.P. 125
  1211 Genève 26
  Tél.: (41-22) 342-77-40
  Télécopieur: (41-22) 343-46-46

- Pour la France et les autres pays:
  INTER FORUM
  Immeuble ORSUD, 3-5, avenue Galliéni, 94251 Gentilly Cédex
  Tél.: (1) 47-40-66-07
  Télécopieur: (1) 47-40-63-66
  Commandes: Tél.: (16) 38-32-71-00
  Télécopieur: (16) 38-32-71-28
  Télex: 780372

Agenda de la femme enceinte

Monic Diotte

Future maman au jour le jour

À mes enfants, Sébastien et Karine

Engagement d'éternité
nous y avons ajouté
le prolongement
jusqu'au miracle fragile
qui apparaît tel un symbole

Comment utiliser votre agenda

Votre agenda contient une foule de renseignements utiles. Il vous accompagnera tout au long de la grossesse et des premiers mois vécus avec votre bébé. Vous pourrez y noter rendez-vous d'affaires et visites chez le médecin, mais aussi vos sentiments, vos réflexions et tous les petits et grands événements de tous les jours. Ce sera une année extraordinaire; faites en sorte de ne pas l'oublier.

Ceci est un agenda perpétuel. Nous avons choisi de le diviser selon les mois de grossesse parce que c'est ainsi que les gens calculent spontanément la durée de la gestation. Le premier mois de la grossesse commence le jour du début des dernières menstruations. À la page du premier mois, vous pouvez donc inscrire cette date dans la première rangée de cases, sous le jour approprié. Écrivez ensuite les dates une à une jusqu'à ce qu'il y ait 31 jours inscrits, peu importe le nombre de jours que comprend le mois civil.

Par exemple, la date du début des dernières menstruations de Julie est le 18 juin, un mercredi. Elle inscrit 18 dans la colonne du mercredi sur la première ligne du calendrier du premier mois de grossesse. Elle ajoute ensuite les dates suivantes, jusqu'au 17 juillet, et va inscrire le 18 juillet sur la première ligne du second mois.

Cet agenda contient aussi de nombreuses pages où vous pourrez noter des renseignements personnels: gain de poids de la mère et du bébé, dates importantes, arbre généalogique de votre enfant, visites et cadeaux à la naissance, etc. Remplissez-le, cela en fera un souvenir merveilleux pour vous et votre enfant. En le lui montrant, plus tard, vous lui ferez partager les moments extraordinaires que vous aurez vécus dans l'attente de son arrivée et au cours de ses premiers mois de vie.

Identification

Identification de la mère

Nom: ....

Adresse: ....

N° de téléphone (rés.): ....

(bur.): ....

Nom du conjoint: ....

N° de téléphone: ....

Médecin traitant: ....

N° de téléphone: ....

Renseignements médicaux

Groupe sanguin: ....

Facteur RH: ....

Allergies: ....

Médicaments prescrits: ....

Notes: ....

En cas d'urgence, prévenir:

1. Nom: ....

   Adresse: ....

   N° de téléphone: ....

   Lien: ....

2. Nom: ....

   Adresse: ....

   N° de téléphone: ....

   Lien: ....

Renseignements

Numéros de téléphone importants

Médecin traitant: ....

Sage-femme: ....

Urgences: le jour: ....

la nuit: ....

Ambulance: ....

Taxis: ....

Consultation: grossesse: ....

bébé: ....

allaitement: ....

Pharmacies: ....

Responsable des cours prénatals: ....

Lieu de l'accouchement: ....

Dates importantes

Mes dernières menstruations ont débuté le ....

Nous avons conçu le bébé le ou autour du ....

J'ai appris que j'étais enceinte le ....

Nous avons annoncé la grossesse le ....

Nous avons entendu battre le cœur du bébé le ....

J'ai passé mon échographie le ....

J'ai senti le bébé bouger le ....

Papa a senti le bébé bouger le ....

J'ai quitté le travail le ....

Mon bébé est né le ....

Gain de poids au cours de la grossesse

Poids de la mère à la fin de chaque mois

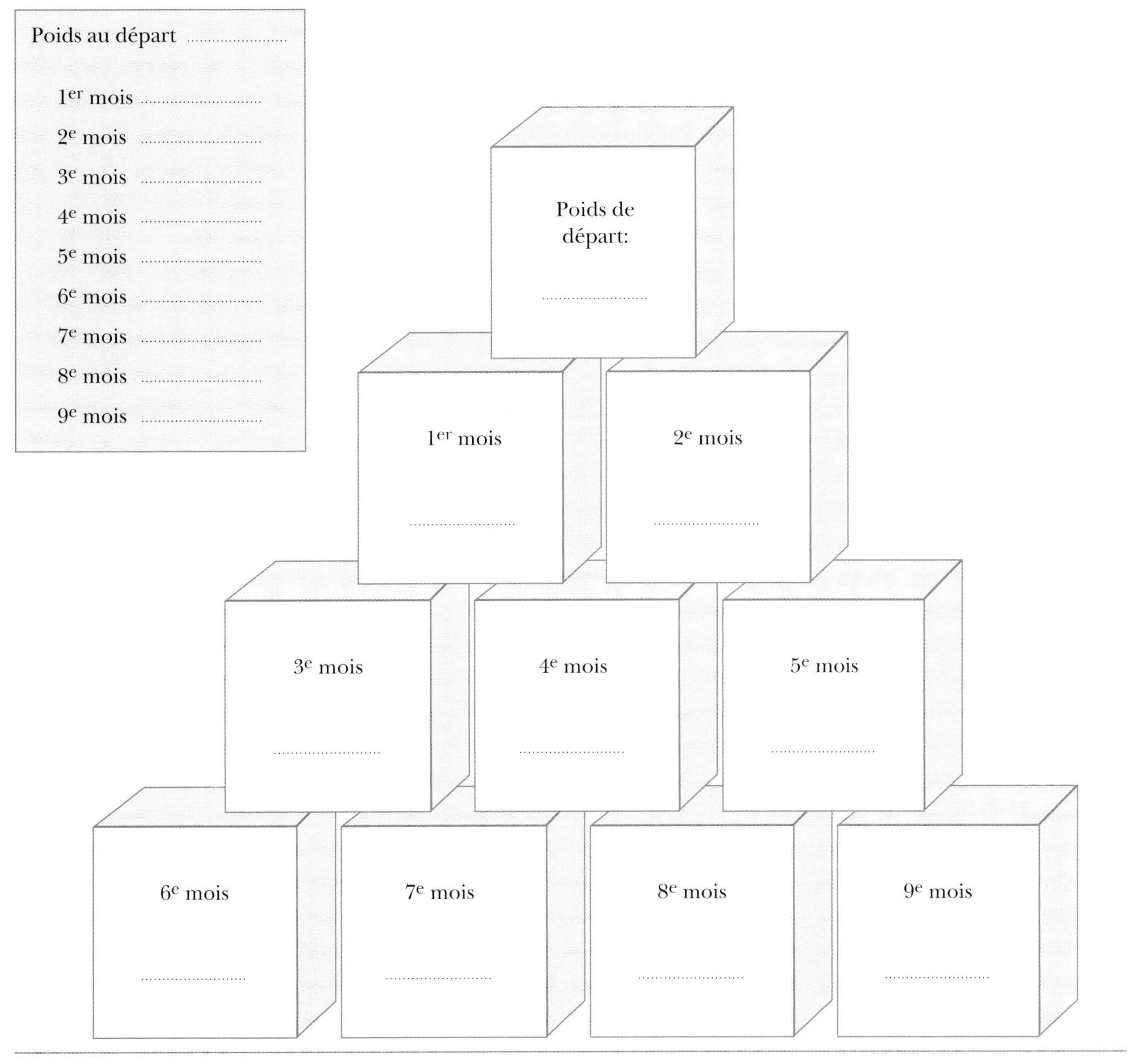

Les visites médicales

Date: ....

Nombre de semaines de grossesse: ....

Poids: ....

Hauteur de l'utérus: ....

Tension artérielle: ....

Points à surveiller: ....

....

Sujets à aborder: ....

....

....

Questions à poser: ....

....

Remarques: ....

....

....

Les visites médicales

Date: ....

Nombre de semaines de grossesse: ....

Poids: ....

Hauteur de l'utérus: ....

Tension artérielle: ....

Points à surveiller: ....

....

Sujets à aborder: ....

....

....

Questions à poser: ....

....

Remarques: ....

....

....

Les visites médicales

Date: ....

Nombre de semaines de grossesse: ....

Poids: ....

Hauteur de l'utérus: ....

Tension artérielle: ....

Points à surveiller: ....

....

Sujets à aborder: ....

....

....

Questions à poser: ....

....

Remarques: ....

....

....

Les visites médicales

Date: ....

Nombre de semaines de grossesse: ....

Poids: ....

Hauteur de l'utérus: ....

Tension artérielle: ....

Points à surveiller: ....

....

Sujets à aborder: ....

....

....

Questions à poser: ....

....

Remarques: ....

....

....

Les visites médicales

Date: ....

Nombre de semaines de grossesse: ....

Poids: ....

Hauteur de l'utérus: ....

Tension artérielle: ....

Points à surveiller: ....

....

Sujets à aborder: ....

....

....

Questions à poser: ....

....

Remarques: ....

....

....

Les visites médicales

Date: ....

Nombre de semaines de grossesse: ....

Poids: ....

Hauteur de l'utérus: ....

Tension artérielle: ....

Points à surveiller: ....

....

Sujets à aborder: ....

....

....

Questions à poser: ....

....

Remarques: ....

....

....

Les visites médicales

Date: ....

Nombre de semaines de grossesse: ....

Poids: ....

Hauteur de l'utérus: ....

Tension artérielle: ....

Points à surveiller: ....

....

Sujets à aborder: ....

....

....

Questions à poser: ....

....

Remarques: ....

....

....

Les visites médicales

Date: ....

Nombre de semaines de grossesse: ....

Poids: ....

Hauteur de l'utérus: ....

Tension artérielle: ....

Points à surveiller: ....

....

Sujets à aborder: ....

....

....

Questions à poser: ....

....

Remarques: ....

....

....

Les visites médicales

Date: ....

Nombre de semaines de grossesse: ....

Poids: ....

Hauteur de l'utérus: ....

Tension artérielle: ....

Points à surveiller: ....

....

Sujets à aborder: ....

....

....

Questions à poser: ....

....

Remarques: ....

....

....

Les visites médicales

Date: ....

Nombre de semaines de grossesse: ....

Poids: ....

Hauteur de l'utérus: ....

Tension artérielle: ....

Points à surveiller: ....

....

Sujets à aborder: ....

....

....

Questions à poser: ....

....

Remarques: ....

....

....

Les visites médicales

Date: ....

Nombre de semaines de grossesse: ....

Poids: ....

Hauteur de l'utérus: ....

Tension artérielle: ....

Points à surveiller: ....

....

Sujets à aborder: ....

....

....

Questions à poser: ....

....

Remarques: ....

....

....

Les visites médicales

Date: ....

Nombre de semaines de grossesse: ....

Poids: ....

Hauteur de l'utérus: ....

Tension artérielle: ....

Points à surveiller: ....

....

Sujets à aborder: ....

....

....

Questions à poser: ....

....

Remarques: ....

....

....

Les visites médicales

Date: ....

Nombre de semaines de grossesse: ....

Poids: ....

Hauteur de l'utérus: ....

Tension artérielle: ....

Points à surveiller: ....

....

Sujets à aborder: ....

....

....

Questions à poser: ....

....

Remarques: ....

....

....

Les visites médicales

Date: ....

Nombre de semaines de grossesse: ....

Poids: ....

Hauteur de l'utérus: ....

Tension artérielle: ....

Points à surveiller: ....

....

Sujets à aborder: ....

....

....

Questions à poser: ....

....

Remarques: ....

....

....

Les visites médicales

Date: ....

Nombre de semaines de grossesse: ....

Poids: ....

Hauteur de l'utérus: ....

Tension artérielle: ....

Points à surveiller: ....

....

Sujets à aborder: ....

....

....

Questions à poser: ....

....

Remarques: ....

....

....

Les visites médicales

Date: ....

Nombre de semaines de grossesse: ....

Poids: ....

Hauteur de l'utérus: ....

Tension artérielle: ....

Points à surveiller: ....

....

Sujets à aborder: ....

....

....

Questions à poser: ....

....

Remarques: ....

....

....

Les visites médicales

Date: ....

Nombre de semaines de grossesse: ....

Poids: ....

Hauteur de l'utérus: ....

Tension artérielle: ....

Points à surveiller: ....

....

Sujets à aborder: ....

....

....

Questions à poser: ....

....

Remarques: ....

....

....

Les visites médicales

Date: ....

Nombre de semaines de grossesse: ....

Poids: ....

Hauteur de l'utérus: ....

Tension artérielle: ....

Points à surveiller: ....

....

Sujets à aborder: ....

....

....

Questions à poser: ....

....

Remarques: ....

....

....

Les visites médicales

Date: ....

Nombre de semaines de grossesse: ....

Poids: ....

Hauteur de l'utérus: ....

Tension artérielle: ....

Points à surveiller: ....

....

Sujets à aborder: ....

....

....

Questions à poser: ....

....

Remarques: ....

....

....

Les visites médicales

Date: ....

Nombre de semaines de grossesse: ....

Poids: ....

Hauteur de l'utérus: ....

Tension artérielle: ....

Points à surveiller: ....

....

Sujets à aborder: ....

....

....

Questions à poser: ....

....

Remarques: ....

....

....

Le premier mois

Un secret au creux de votre ventre

«Je suis plus petit qu'un grain de sable et mes parents ne savent même pas que j'existe, mais je vais bouleverser leur vie!»

Un ovule a été fécondé par un spermatozoïde. Cette rencontre extraordinaire s'est réalisée dans votre ventre... et c'est le début d'une longue aventure. Vous l'ignorez sans doute encore, mais vous abritez un œuf qui, grâce à des transformations prodigieuses, va devenir un bébé, votre bébé.

Partant de la trompe de Fallope, l'œuf se dirige doucement vers l'utérus, l'univers tout chaud dans lequel il se développera pendant neuf mois. Il se colle comme une ventouse à la paroi de l'utérus. C'est à ce moment, qu'on nomme «nidation», que l'œuf commence à se nourrir directement de l'organisme de la mère. La nidation survient sept jours après la fécondation qui, elle, se produit en général quatorze jours après le début des menstruations. À la fin du premier mois, l'embryon n'est qu'une ébauche minuscule qui se transforme à toute vitesse.

C'est pour quand? vous demandez-vous. La grossesse dure normalement entre 38 et 42 semaines, calculées à partir de la date du début des dernières menstruations. Pour celles qui ignorent cette date, l'échographie permettra de fixer avec précision l'âge du fœtus et la date prévue de l'accouchement. Précisons bien: la date *prévue*. N'oubliez pas que le bébé n'en fait qu'à sa tête!

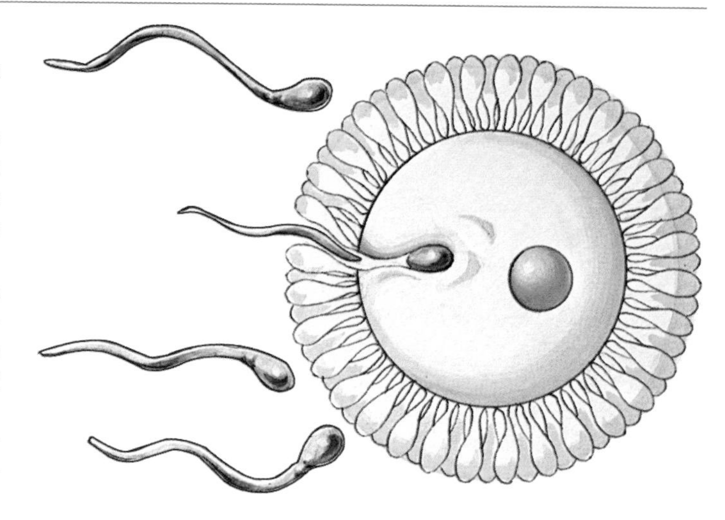

La fécondation: un spermatozoïde pénètre dans l'ovule.

Quelques nausées?

Au cours de ce premier mois, la future maman constate souvent très peu de transformations dans son corps. La femme enceinte n'aura pas ses règles, bien qu'elle puisse saigner légèrement. Elle ressentira peut-être des nausées et aura les seins sensibles et gonflés. Enfin, elle se sentira fatiguée, sans énergie.

Devenir parents

Si c'est votre premier bébé, vous allez devoir apprendre à être mère, et votre conjoint à devenir père. Votre conception de la vie se modifiera sans doute à mesure que vous découvrirez un univers nouveau. Votre corps en constante transformation vous paraîtra parfois étranger. Votre compagnon aura peut-être de la difficulté à s'habituer à tous ces changements physiques et psychologiques. La première grossesse constitue une étape de bouleversements profonds au sein du couple et il est essentiel que les conjoints se communiquent leurs joies, leurs inquiétudes... et leurs découvertes! Bien sûr, quand on est déjà passé par là, c'est plus facile. Toutefois, à chaque naissance, c'est tout l'équilibre de son petit monde qu'il faut rétablir, en intégrant le nouveau bébé à la vie de la famille sans bouleverser les habitudes de chacun.

Le deuxième mois

S'apprivoiser

L'embryon ressemble à une crevette. Sa tête se forme peu à peu, pour constituer la moitié du volume total du corps à la fin de cette période. L'embryon sera alors 75 fois plus gros qu'il l'était un mois plus tôt; il mesurera 15 millimètres.

Toutes les parties du corps du bébé se développent. Son petit cœur bat déjà. L'embryon est parcouru par une pulsation régulière qui propulse du sang dans ses artères microscopiques. Les rudiments de son futur appareil digestif se distinguent, ainsi que l'ébauche de ses bras et de ses jambes. Ses yeux minuscules, sa bouche, son nez et ses oreilles prennent forme.

Le placenta et le cordon ombilical se développent. C'est grâce à eux que vous pourrez nourrir ce petit être qui grandit en vous. Le placenta, une masse charnue collée à la paroi interne de votre utérus, se charge de transférer au fœtus, par le cordon ombilical, l'oxygène et les éléments nutritifs dont il a besoin. Votre bébé vous renvoie les déchets qu'il produit par le même chemin, et votre corps se charge de les éliminer.

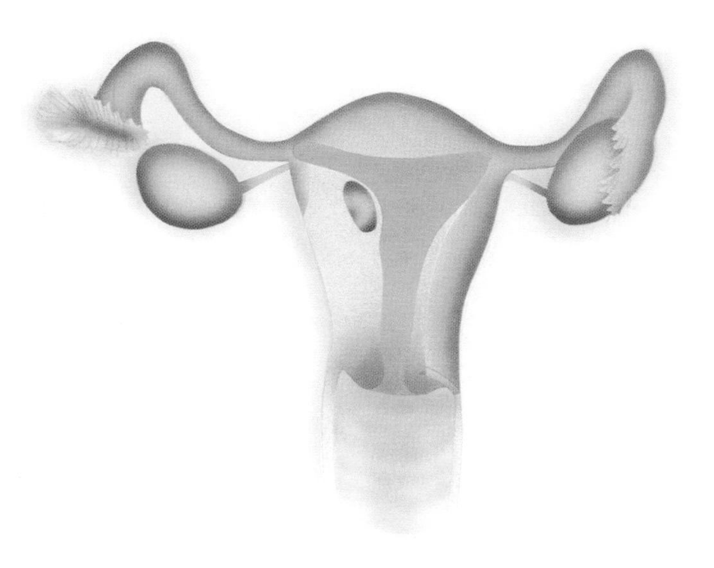

Le fœtus à six semaines de grossesse.

Vivre à deux...

Vous commencez sans doute à ressentir les effets de toutes ces transformations en vous. Les premiers mois de la grossesse constituent une période d'adaptation. Votre corps apprend à fonctionner pour deux, et cela ne va pas toujours sans difficulté. Certaines femmes souffrent de nausées et de problèmes de digestion. La plupart se sentent constamment fatiguées et elles ont l'impression de ne pas avoir dormi depuis des jours... quelques heures après une bonne nuit de sommeil! Dès que votre corps se sera adapté à son nouvel état, vous vous sentirez beaucoup mieux.

Au cours de la grossesse, votre poitrine se transformera pour se préparer à l'allaitement. Vos seins augmenteront de volume et changeront d'aspect: la région plus foncée qui entoure le mamelon, qu'on appelle «aréole», s'élargira et deviendra plus apparente.

... et à trois

Même si vous désiriez ardemment un bébé, il est probable que vous ressentiez des émotions confuses. La future mère se sent souvent très seule; elle n'arrive pas à exprimer ses peurs et trouve parfois que son compagnon ne s'intéresse pas assez à ce qu'elle vit. La femme qui attend son premier enfant oscille sans cesse entre le désir de devenir une adulte accomplie et un besoin profond d'être prise en charge comme si elle redevenait un enfant.

Le troisième mois

Entendre son cœur

Votre bébé prend vraiment forme humaine au cours de ce mois. Ses bras et ses jambes s'allongent, ses doigts et ses orteils commencent à se former. On remarque l'ébauche de ses dents et de ses ongles que laisse deviner la présence de fines membranes. Des reins rudimentaires sécrètent de petites quantités d'urine. Les organes sexuels mâles et femelles se différencient.

Pendant que les articulations et les muscles du bébé se développent, le processus de formation des os s'enclenche. Cela lui permet de redresser la tête et le buste et de commencer à remuer. Bien sûr, il est encore trop petit pour que vous sentiez quoi que ce soit, mais ce petit être bouge bras et jambes, tourne la tête, serre ses petits poings et commence même à essayer de téter.

Mais le plus merveilleux, c'est qu'on peut entendre les battements de son cœur. Celui-ci bat deux fois plus rapidement que celui d'un adulte: jusqu'à 160 pulsations par minute. À la fin de cette période, le bébé qu'on nomme dorénavant «fœtus» mesure près de 8 centimètres et pèse 30 grammes.

À l'étroit

Vous commencez sans doute à vous sentir à l'étroit dans vos vêtements, car votre utérus a maintenant la taille d'un petit pamplemousse. Les nausées dont vous avez peut-être souffert vont disparaître; vos seins deviendront moins sensibles.

Certaines femmes traversent cette étape en luttant contre une immense et tenace envie de dormir. Ne vous inquiétez pas, vous retrouverez bientôt toute votre énergie, dès que votre corps se sera tout à fait habitué à ses nouvelles fonctions.

Comme dans un rêve

Entendre battre le cœur de votre bébé peut rendre sa présence vraiment réelle tout à coup. Certaines femmes ne se sentent vraiment enceintes que beaucoup plus tard, quand elles perçoivent en elles les premiers mouvements du fœtus. Parfois, la sensation de vivre en dehors de la réalité subsiste même après l'accouchement: la mère a l'impression de s'occuper du bébé de quelqu'un d'autre. Elle ne se voit pas comme une mère.

Devenir un père ou une mère représente toute une évolution. La femme qui devient mère aujourd'hui a souvent une carrière, elle mène une vie indépendante et animée. Comme son conjoint, et peut-être encore plus que lui, elle peut percevoir l'arrivée prochaine d'un bébé comme une entrave à sa liberté. Ces craintes s'atténuent cependant à mesure qu'elle découvre les petits et les grands bonheurs de la maternité!

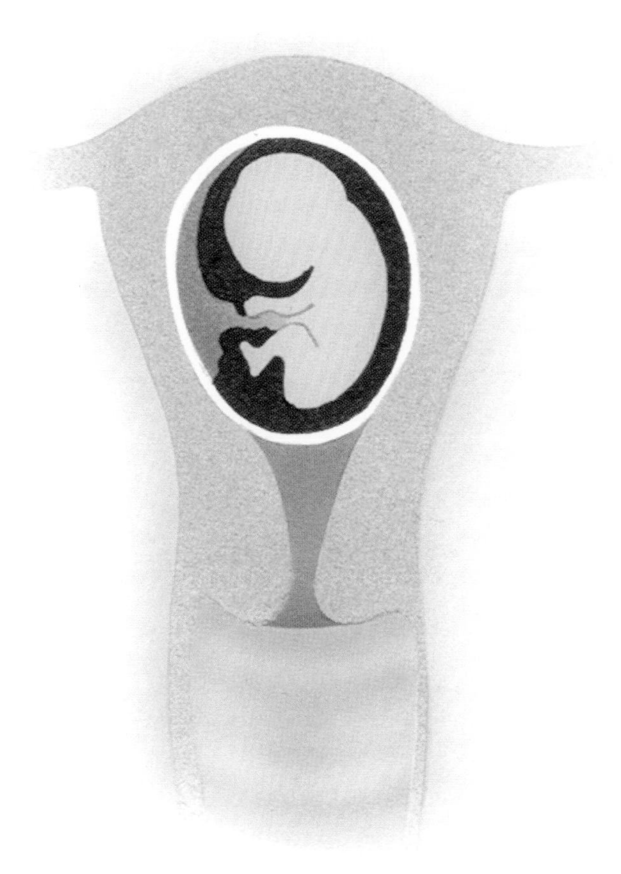

Fœtus de deux mois et demi.

Le quatrième mois

Deux dans un même corps

Votre bébé grandit presque à vue d'œil. Son corps s'allonge et son ventre grossit. Sa bouche et ses yeux paraissent encore énormes. On voit pousser ses cheveux et ses sourcils. Sa peau recouverte d'un fin duvet appelé «lanugo» est transparente.

À mesure que se forme sa colonne vertébrale et que se distinguent ses articulations, le fœtus prend de plus en plus l'allure d'un vrai bébé. Il suce son pouce et avale le liquide amniotique qui l'entoure, exerçant les muscles qui lui permettront d'assurer sa survie après la naissance.

À la fin du quatrième mois, le fœtus mesure environ 18 centimètres et pèse 225 grammes. À l'échographie, on peut distinguer son sexe, avec un œil exercé bien sûr!

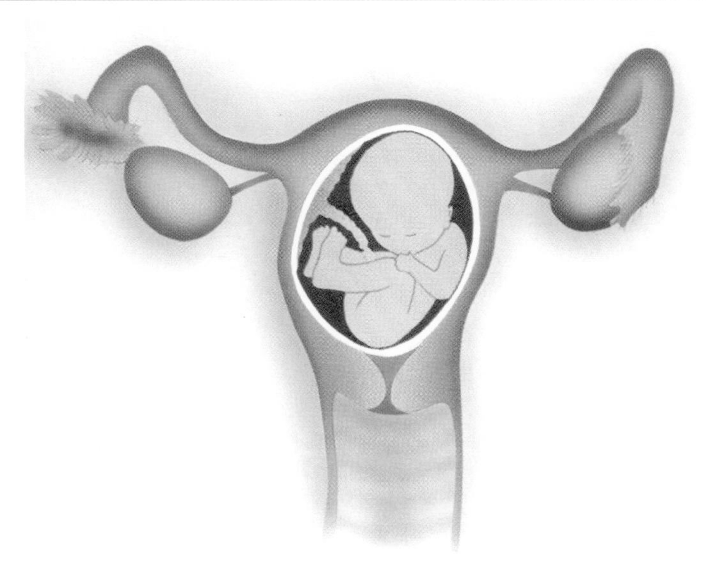

Fœtus de trois mois et demi.

L'harmonie

Vous vous sentez sans doute beaucoup mieux, les petits maux des trois premiers mois disparaissant peu à peu. L'harmonie s'installe enfin dans votre organisme et vous n'êtes plus continuellement exténuée.

Votre corps a changé, mais vous êtes encore loin d'avoir l'aspect typique d'une femme enceinte, ventre proéminent et formes arrondies. Votre buste a pris de l'ampleur, votre taille s'est tout juste épaissie et, dans votre miroir, vous ne vous reconnaissez plus.

Vous avez peut-être remarqué l'apparition d'une ligne verticale brunâtre divisant votre ventre en deux. Cette ligne appelée *linea-nigra* deviendra de plus en plus apparente à mesure que votre grossesse progressera, et disparaîtra après l'accouchement.

Un corps qui change

Les changements qui surviennent dans le corps de la femme qui attend un bébé peuvent influencer fortement son image d'elle-même et sa sexualité. Certaines femmes trouvent leur état merveilleux et traversent les mois de grossesse comme sur un nuage. D'autres se sentent gênées par ce corps qui devient si féminin, si rond, si révélateur. Sur le plan sexuel, les expériences sont très variées. Des couples voient leur vie sexuelle s'épanouir alors que d'autres, au contraire, ont moins envie de faire l'amour, peut-être intimidés par ce ventre qui s'arrondit et qui provoque tant de changements dans leur vie.

Le début du second trimestre de la grossesse est souvent une période très harmonieuse au sein du couple. La femme se sent mieux et, comme son ventre prend de l'ampleur, son compagnon peut enfin voir quelque chose. La grossesse se concrétise: papa peut enfin caresser cette rondeur qui abrite son bébé.

Le cinquième mois

Les ailes d'un oiseau

Enfin, votre bébé gigote assez vigoureusement pour que vous le sentiez bouger. Si vous n'avez pas encore perçu ses mouvements, cela ne saurait tarder. Ne vous attendez pas à recevoir un de ces coups de pied qui font sursauter les femmes sur le point d'accoucher. Votre bébé est encore tout petit. Vous aurez plutôt l'impression qu'un oiseau déploie lentement ses ailes dans votre ventre, ou encore, qu'un poisson y nage doucement. Votre enfant vous fera sentir sa présence de plus en plus énergiquement à mesure qu'il grandira. Ses mouvements ponctueront vos journées et vos nuits, créant entre vous deux une communication secrète.

Le fœtus est déjà presque complètement formé, mais il lui reste à peaufiner son organisme et à prendre du poids. À la fin du cinquième mois, il mesure environ 25 centimètres, soit la moitié de sa longueur à la naissance, mais il ne pèse que 500 grammes, poids qui se multipliera par six et même un peu plus au cours des quatre prochains mois.

Les paupières du fœtus sont toujours soudées, protégeant ses yeux en train de se développer, mais ses oreilles, elles, fonctionnent. Votre bébé vous entend: vous pouvez lui parler, lui chanter des berceuses, lui faire écouter de la musique. Son univers est rempli des bruits de votre corps, bien sûr, mais il perçoit aussi les bruits de l'extérieur: votre voix et celle de son père, qu'il reconnaîtra après la naissance.

Des rondeurs...

Avec ce bébé qui prend du poids, votre ventre s'arrondit et votre grossesse devient plus apparente. Votre utérus est maintenant à la hauteur de votre nombril.

Vous commencez peut-être à souffrir de maux de dos et de brûlures d'estomac, désagréments liés à la seconde moitié de la grossesse chez certaines femmes. Pour éviter les maux de dos, faites attention à votre posture et, surtout, détendez-vous. Contre les brûlures d'estomac, évitez gras et épices, et ne mangez jamais beaucoup à la fois.

... qu'on remarque

Les gens vous sourient dans la rue, surtout les femmes. Certains jours, ces regards entendus vous transporteront d'aise: vous aurez l'impression que votre silhouette exprime tout le bonheur qui vous habite. Parfois, cependant, vous aurez envie de dissimuler ce ventre peu discret. Certaines personnes se croient tout permis du moment qu'une femme est enceinte: elles n'hésitent pas à se mêler de ce qu'elle boit ou mange, ou à prendre la défense de «ce pauvre petit bébé qui respire toute cette fumée».

Profitez de toute l'énergie qui vous envahit pour préparer l'arrivée du poupon tant attendu.

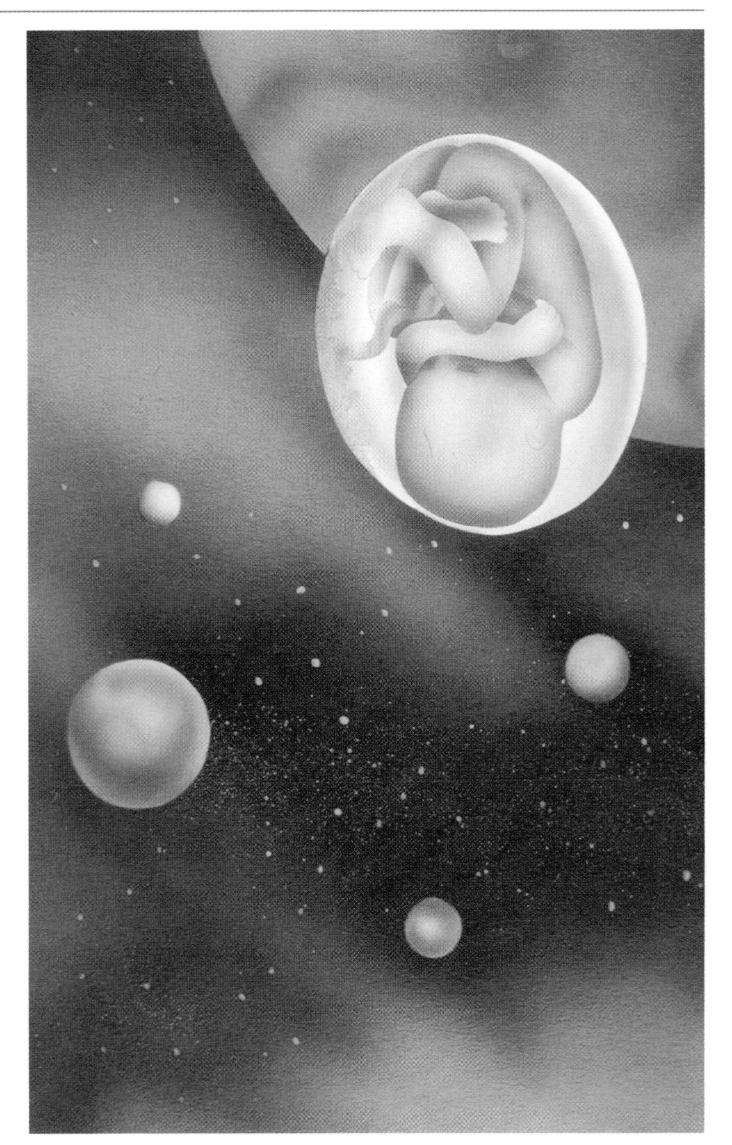

Fœtus vers le cinquième mois de grossesse.

Le sixième mois

À toute vitesse

Votre bébé est très actif mais il dort aussi beaucoup: de 16 à 20 heures par jour. Sa peau toute plissée est couverte d'un enduit protecteur, le *vernix caseosa.* Ses ongles s'étendent maintenant jusqu'au bout des doigts. Ses poumons sont en pleine formation: il ne pourrait respirer sans aide s'il naissait maintenant.

Votre bébé continue de grandir à toute vitesse, de telle sorte qu'à la fin de cette période, sa tête ne représentera plus que le tiers de son volume total. Il pèsera alors environ 800 grammes et mesurera entre 27 et 35 centimètres. Le fœtus ingurgite pas moins de trois à quatre litres de liquide amniotique par jour! Parfois, il avale de travers et il a le hoquet.

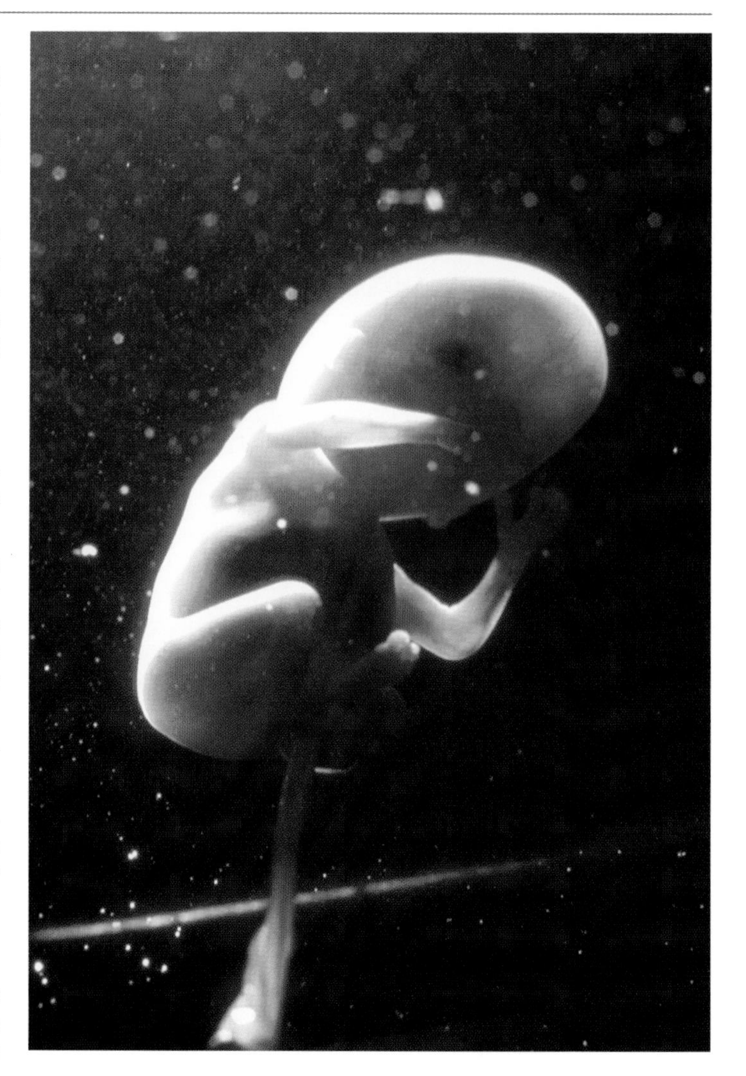

Fœtus au sixième mois de grossesse.

Ralentissez

Votre poids augmente plus rapidement. Votre bassin est entraîné vers l'avant par l'utérus; vous devez donc trouver un nouveau point d'équilibre.

Vous êtes resplendissante. L'augmentation du flux sanguin vous donne des couleurs et vos formes pleines ne laissent plus planer aucun doute sur votre état. Les mouvements de ce petit être qui vous rappelle sans cesse sa présence vous transportent de bonheur. Vous aimez sans doute répondre à ses culbutes par des caresses; prenez ainsi l'habitude de le dorloter avant même sa naissance.

Les escaliers vous essoufflent? C'est normal: votre utérus comprime vos poumons. Prenez-en votre parti: ralentissez le rythme!

Vous sentez peut-être des lourdeurs aux jambes. La circulation sanguine s'effectue moins aisément à mesure que vous prenez du poids. Surélevez vos jambes de temps à autre, même pour quelques instants: cela vous soulagera.

Un coin pour bébé

Les priorités et les habitudes de vie de la femme évoluent au cours de la grossesse. Plus tournée vers l'intérieur à cause de cette nouvelle vie qui se crée en elle, la femme enceinte préfère aux grandes fêtes bruyantes les réunions intimes et aime discuter avec des amis qui ont des enfants.

À mesure que le fœtus grandit, le père peut à son tour le sentir bouger et partager cette joie avec sa compagne. Comme le fœtus réagit au bruit et au toucher, le père peut communiquer avec lui en lui parlant et en le caressant: papa et bébé se rapprochent ainsi.

Les futurs parents, à cette étape, entreprennent de tout ranger et de tout nettoyer, de lui aménager un coin bien à lui et de se procurer tout ce dont il aura besoin. Mais attention, ménagez-vous, les prochains mois ne seront pas de tout repos!

Le septième mois

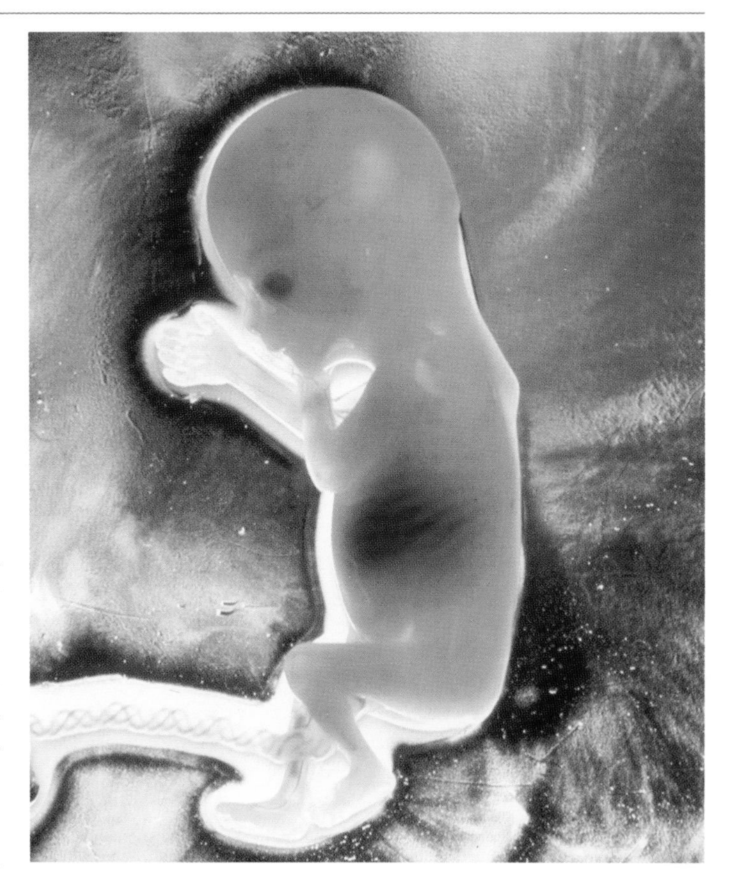

Fœtus au septième mois de grossesse.

Bébé s'ouvre au monde

Le fœtus est entièrement formé. À la fin du septième mois, il mesure entre 35 et 43 centimètres et pèse entre 1 000 et 1 500 grammes. S'il naissait maintenant, il pourrait probablement survivre, avec des soins appropriés. Mais il est encore fragile et bien maigre. Il remue de plus belle et commence à s'enrober de graisse.

Ce mois est celui de l'éveil des sens. Bébé entend, on croit même qu'il voit déjà, et il cultive son goût en avalant le liquide amniotique, dont la saveur se modifie selon ce que vous avez mangé.

Une acrobate

Les gestes les plus simples, comme celui d'enfiler ses bottes, deviennent de plus en plus acrobatiques. Supportez-le en riant! Même si vous avez pris beaucoup de poids, ce n'est vraiment pas le moment de vous mettre au régime. Votre bébé a besoin de tous les bons aliments que vous lui fournissez pour grossir et pour favoriser le plein développement de son cerveau. Si on s'intéresse tant au poids des nouveau-nés, c'est parce que les plus gros sont mieux équipés pour affronter la vie. Et puis vous verrez, vous serez tellement occupée après la naissance que les kilos que vous avez pris fondront sans même que vous y pensiez.

Vous avez peut-être découvert une goutte d'un liquide jaune au bout d'un de vos mamelons. C'est du *colostrum*, le premier lait que boira votre poupon si vous l'allaitez. Vos seins en produisent déjà depuis quelques semaines.

Préparer son accouchement

L'accouchement occupe de plus en plus souvent vos pensées. Il est normal que vous soyez anxieuse. Mais la naissance de votre enfant constituera sans doute l'une des expériences les plus exaltantes de votre vie. L'envisager d'une manière positive peut faire une énorme différence. C'est l'inconnu qui fait peur; renseignez-vous donc le plus possible sur l'accouchement. Plus vous comprendrez ce qui se passe dans votre corps, plus vous serez détendue.

Lisez le plus possible sur le déroulement d'un accouchement et sur les façons d'aborder cet événement avec confiance et dans la joie. Demandez à des mères ayant vécu des expériences heureuses de vous raconter leurs accouchements et interrogez-les sur leurs sensations, leur état d'esprit et leurs réactions. Visitez l'endroit où vous accoucherez, discutez avec le personnel.

Exprimez vos inquiétudes à votre conjoint. Lui aussi peut envisager l'accouchement avec appréhension. Il peut avoir peur de vous voir souffrir et de se sentir tout à fait inutile. La plupart des femmes accordent une importance inestimable à la simple présence de leur compagnon pendant le travail. Si c'est votre cas, dites-le-lui!

Le huitième mois

Dodu à souhait

Bébé grossit et s'épanouit. Il n'a plus l'air fripé; ses cuisses, ses genoux et ses bras s'embellissent de petits plis mignons. Un peu serré dans l'utérus, il se recroqueville, croise les bras et replie ses jambes sur son ventre. Dans 95 % des cas, il se place définitivement la tête en bas, dans la meilleure position pour naître.

Les poumons du fœtus arrivent à maturité. Le duvet qui le recouvrait disparaît et il prend de plus en plus l'aspect d'un vrai bébé. Un poupon né après 36 semaines de grossesse a d'ailleurs presque les mêmes chances de survie qu'un bébé né à terme, 4 semaines plus tard. À la fin de ce mois, votre enfant pèse environ 2 500 grammes et mesure près de 45 centimètres.

Fatiguée

Les dernières semaines de la grossesse sont très exigeantes pour votre corps. Vos journées deviennent de plus en plus fatigantes et vos nuits de moins en moins reposantes. S'extraire du lit plusieurs fois par nuit pour aller aux toilettes n'aide pas à reprendre des forces. Allongez-vous le plus souvent possible pour récupérer. Surtout, ne vous sentez pas coupable de vous reposer: vous n'êtes pas inactive, vous êtes en train de nourrir un bébé!

Votre ventre devient-il parfois tendu pendant un instant? Vous ressentez de petites contractions: votre utérus se prépare pour l'accouchement. Vous en remarquerez une de temps à autre au cours des dernières semaines de grossesse. Cependant, si elles deviennent plus fortes et régulières, parlez-en à votre médecin.

Une douleur soudaine dans le bassin ou le long de la cuisse peut vous surprendre à l'occasion. La tête du bébé a coincé un nerf et vous sursautez. Un mouvement du fœtus ou une de ces «fausses contractions» décrites plus haut peut aussi vous donner une envie d'uriner qui disparaît aussitôt.

L'enfant jaloux

La femme enceinte est de plus en plus centrée sur son bébé à l'approche de l'accouchement. Si elle a d'autres enfants, ceux-ci le perçoivent et réagissent en l'accaparant. Quelques-uns se remettent même à mouiller leur culotte. Comme la mère a besoin de repos, la participation du père devient cruciale. C'est le moment pour lui de prendre un bain avec son enfant ou d'inventer des histoires et des jeux pour agrémenter l'heure du coucher. Surtout, veillez à ne pas répéter sans cesse à votre enfant que maman est fatiguée à cause du bébé: il découvrira bien assez vite que le petit nouveau le prive de sa chère maman! Vous trouverez aux pages 38 et 88 toutes sortes de suggestions pour aider les aînés à accepter le nouveau bébé.

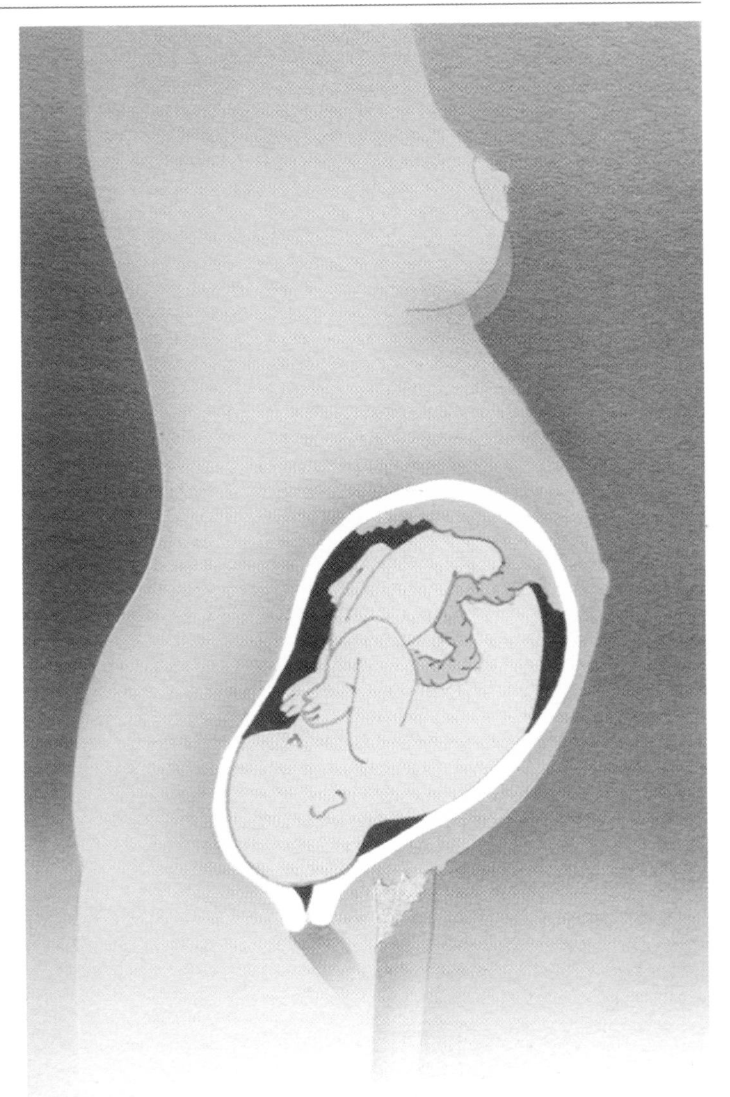

Fœtus de sept mois et demi.

Le neuvième mois

D'un jour à l'autre

Bébé arrive à terme. Il continue de grossir et prend des forces. À la naissance, il pèsera entre 2,5 et 4,5 kilos et mesurera entre 46 et 56 centimètres. Il bouge moins, à l'étroit dans l'utérus de sa mère qu'il partage avec le placenta, une galette ronde de 2,5 centimètres d'épaisseur dont le diamètre est de 15 à 20 centimètres. Quant au cordon ombilical qui relie le placenta au nombril du bébé, il mesure pas moins de 50 centimètres.

Au cours de ce dernier mois, le fœtus s'engage dans le bassin de la mère; il est prêt à sortir d'un jour à l'autre.

Votre corps est prêt

Ce déplacement du fœtus permet à la femme sur le point d'accoucher de respirer et de digérer plus aisément. Dans son corps, tout se prépare à accueillir l'enfant: ses seins à le nourrir, son bassin à le laisser passer, son utérus à le pousser à l'extérieur.

Suivez l'exemple de votre bébé: prenez du poids et des forces. Tenez-vous toujours prête, car vous pouvez accoucher d'un jour à l'autre. Dormez l'après-midi si c'est possible et ne vous fatiguez pas trop. Vous aurez besoin de toute votre énergie pour aider votre enfant à naître et pour en prendre soin par la suite.

Vers la fin de la grossesse, certaines femmes ont de la difficulté à dormir. L'inquiétude qui les étreint et l'inconfort dû à leur état font parfois de l'insomnie une compagne fidèle. Si c'est votre cas, ne cédez surtout pas à la tentation de prendre des pilules pour dormir: cela affecterait le bébé. Levez-vous, buvez du lait chaud ou une tisane. Gardez un bon livre près de votre lit pour l'occasion. Une promenade au grand air avant de vous coucher pourra vous aider à trouver le sommeil.

Va-t-il enfin arriver?

C'est au cours de ce dernier mois que prennent vraiment un sens les mots «j'attends un enfant». Vous l'attendez de plus en plus, surtout s'il n'est pas né à la date prévue. Même si vous le sentez bouger depuis des mois, il demeure encore pour vous un inconnu. Vous avez hâte de le voir enfin. Les inconvénients du dernier trimestre vous pèsent, vous vous sentez énorme et n'arrivez pas à fixer longtemps votre attention sur autre chose. Vers la fin, vous aurez peut-être l'impression que vous n'accoucherez jamais et que personne ne vous comprend, même pas votre conjoint, malgré toute sa bonne volonté. Il peut craindre de ne pas être à la hauteur au cours de l'accouchement et par la suite avec le nouveau-né. Quand vous sentirez que tout va mieux, quand vous aurez tout à coup envie de faire le grand ménage ou de sauter de joie, le moment tant attendu sera arrivé: en effet, l'accouchement est souvent précédé d'un sursaut d'énergie.

Le neuvième mois.

1. Le résultat positif: moment d'ivresse et d'inquiétude

L'instant où une femme apprend qu'elle va avoir un enfant est inoubliable. Mais même si l'enfant était prévu et espéré depuis longtemps, l'excitation de savoir qu'elle est enceinte se teinte d'inquiétude. Les larmes de joie se mêlent aux larmes d'anxiété. «Voilà, c'est fait, ma vie est changée pour toujours», se dit-elle.

La réaction du père est semblable, même si l'inquiétude peut tarder à faire son apparition. Future mère et futur père sont tout à coup confrontés à la réalité: «Serons-nous capables d'être de bons parents?»; «Allons-nous devoir abandonner toutes nos activités sociales?»; «Allons-nous devenir comme nos parents?» À l'annonce de la seconde grossesse et des suivantes, les préoccupations changent: «Allons-nous avoir assez d'énergie pour élever un autre enfant et recommencer la ronde des couches, des pleurs et des nuits entrecoupées?»; «Nos revenus seront-ils suffisants?»; «Pourrons-nous aimer ce nouveau bébé autant que le précédent?»

Les futurs parents se découvrent souvent moins heureux qu'ils ne l'auraient cru. Toutes ces réactions sont courantes et tout à fait normales. Elles s'atténueront à mesure que la grossesse avancera. L'excitation vous fera bientôt oublier ces inquiétudes. En discuter avec des professionnels ou de jeunes parents pourrait vous aider à les surmonter.

MOIS ____________________
SEMAINE Nº ____________

Lundi

12:00

18:00

Mardi

Mercredi

Jeudi

12:00

18:00

Vendredi

Samedi

Dimanche

Mon journal de la semaine

2. Les signes à surveiller

Le retard des règles est le signe le plus connu et le plus évident du début d'une grossesse. La plupart des femmes y sont attentives. Quelques jours de retard les remplissent d'anxiété ou d'espoir...

Bien sûr, la grossesse doit être confirmée par une visite chez le médecin. Même les tests vendus en pharmacie donnent parfois des résultats erronés. Mais avant d'entendre de la bouche de votre médecin que vous êtes enceinte, d'autres signes peuvent confirmer vos soupçons.

D'abord, les fameuses nausées. Certaines femmes n'en souffrent pas du tout; d'autres vomissent tous les jours pendant les trois premiers mois de leur grossesse. Si vous y êtes sujette, certaines précautions vous rendront la vie plus agréable. Mangez toujours quelque chose avant de sortir du lit le matin. Si personne ne vous apporte votre petit déjeuner au lit, gardez des biscottes à votre chevet et mangez-en quelques-unes au réveil. Ensuite, prenez un petit déjeuner complet. Prenez plusieurs repas légers au cours de la journée; de cette façon, vous n'aurez jamais l'estomac vide et vous n'aurez pas non plus à digérer de grosses quantités à la fois. Évitez les aliments dégageant une odeur prononcée: leur simple présence sur une table peut vous enlever toute envie de manger. Choisissez des aliments faciles à digérer. Buvez entre les repas plutôt qu'en mangeant. Et sachez que tout rentrera dans l'ordre bientôt.

D'autres signes? Les femmes enceintes ont souvent les seins gonflés et sensibles au toucher. Elles sont fatiguées et somnolentes. Leur bas-ventre leur semble ballonné. Souvent, la quantité de sécrétions vaginales augmente. Les futures mamans peuvent avoir des envies soudaines de manger un aliment bien précis. Enfin, certaines femmes savent qu'elles sont enceintes parce qu'elles ont tout à coup besoin d'uriner plus souvent, même la nuit.

En étant attentive à ces divers signes, vous pouvez deviner que vous attendez un bébé avant même de passer un test de grossesse. Peut-être même en aurez-vous l'intuition au moment de la conception!

MOIS ____________
SEMAINE Nº ________

Lundi

12:00

18:00

Mardi

Mercredi

Jeudi

12:00

18:00

Vendredi

Samedi

Dimanche

Mon journal de la semaine

3. Pour réussir un beau bébé

Votre façon de vous nourrir au cours de la grossesse aura une influence directe sur le poids et la santé de votre bébé. Les bébés plus gros à la naissance souffrent moins de troubles neurologiques et psychomoteurs que les bébés de poids insuffisant. Les mères qui se nourrissent bien et qui prennent assez de poids au cours de la grossesse courent moins de risques de connaître des complications à l'accouchement et de donner naissance à un bébé prématuré ou mort-né. C'est pourquoi il importe de manger des aliments sains en quantité suffisante.

Ne soyez pas effrayée par les mises en garde du genre: «Si tu prends plus de neuf kilos, tu resteras grosse par la suite.» Au contraire, la grossesse peut constituer une occasion d'adopter de bonnes habitudes alimentaires qui vous seront profitables tout au long de votre vie. Et il est non seulement normal mais nécessaire que vous emmagasiniez des réserves de graisse pour pouvoir allaiter votre bébé et passer à travers les premières semaines suivant la naissance.

La santé en cadeau

À la base, en période de grossesse, un régime alimentaire quotidien varié est constitué d'une grande quantité de fruits et de légumes frais, de grains entiers, de produits laitiers, d'aliments riches en protéines (tels que la viande, le poisson, les noix, les œufs et les légumineuses), d'un peu de matières grasses et d'environ deux litres de liquide par jour*.

Laissez-vous guider par votre faim et choisissez des aliments sains le moins raffinés possible. Évitez les aliments sucrés, ceux qui renferment des additifs ou des colorants. Les fruits et les légumes contiennent plus de vitamines lorsqu'ils sont mangés crus, ou cuits dans très peu d'eau ou à la vapeur.

Grâce à une alimentation saine, variée et suffisante, vous fournirez à votre bébé tous les éléments nutritifs dont il a besoin. Ces neuf mois ont une importance déterminante pour toute sa vie. Faites-lui cadeau d'une bonne santé!

---

* Tiré de *Bientôt maman,* publié aux Éditions de l'Homme. Ce livre très complet sur la grossesse, la naissance et le nouveau-né expose en détail les consignes à suivre pour bien s'alimenter.

MOIS ______________

SEMAINE Nº __________

Lundi

12:00

18:00

Mardi

Mercredi

Jeudi

12:00

18:00

Vendredi

Samedi

Dimanche

Mon journal de la semaine

4. Attention... danger!

La grossesse représente pour beaucoup de femmes l'occasion rêvée de prendre de bonnes habitudes... et d'abandonner les mauvaises! Si vous avez tenté en vain d'arrêter de fumer à de nombreuses reprises, porter un enfant peut constituer une motivation assez puissante pour vous mener vers la réussite.

À éliminer complètement:

- l'alcool, les drogues et les médicaments, prescrits ou non, qui affectent le développement physique et cérébral du fœtus. Ils peuvent entraîner des malformations et un handicap mental. Même absorbés en petite quantité, ils détruisent des vitamines nécessaires à la santé de votre enfant. Attention aux médicaments qui semblent inoffensifs: aspirine, sirop pour la gorge, pastilles contre la toux sont aussi à éliminer. Ne prenez rien sans en parler à votre médecin.
- les radiographies, qui peuvent nuire au fœtus. Elles ne doivent être permises que si elles s'avèrent indispensables.
- les saunas, qui peuvent également être nocifs pour votre bébé.

À éviter:

- le tabac, qui affecte le fœtus. Les femmes qui fument au cours de leur grossesse courent plus de risques d'avortement spontané. Elles mettent au monde des bébés plus petits, donc plus fragiles. La fumée provenant de votre entourage peut aussi incommoder votre bébé; il est donc parfaitement justifié de demander aux gens de s'abstenir de fumer en votre présence. Arrêter de fumer est difficile. Si vous n'y réussissez pas dès le début de votre grossesse, il n'est jamais trop tard. Fumer moins et arrêter en cours de grossesse peuvent atténuer les effets nocifs.
- la caféine, qui peut faire du tort à votre bébé. Il serait prudent de limiter au minimum votre consommation de café, de thé, de cola et de chocolat.

Toxoplasmose et rubéole

La toxoplasmose et la rubéole sont des maladies inoffensives pour un adulte, mais elles peuvent avoir des conséquences très graves pour le fœtus si la mère en est atteinte. Votre médecin vérifiera si vous avez des anticorps contre ces deux maladies. Il existe un vaccin contre la rubéole; l'idéal est de se faire vacciner plusieurs mois avant de devenir enceinte.

Quant à la toxoplasmose, la majorité des femmes en âge de concevoir ont développé des anticorps contre cette maladie. Si ce n'est pas votre cas (votre médecin pourra vous le dire), mangez de la viande très cuite: la viande mal cuite ou crue peut vous rendre malade. Les chats transmettent le virus de la toxoplasmose dans leurs selles; évitez donc le contact avec leurs excréments. Portez des gants pour jardiner et lavez soigneusement fruits et légumes avant de les cuire ou de les consommer: les chats enterrent leurs selles un peu partout!

MOIS ____________
SEMAINE Nº ________

Lundi

12:00

18:00

Mardi

Mercredi

Jeudi

12:00

18:00

Vendredi

Samedi

Dimanche

Mon journal de la semaine

5. La première visite médicale

Dès que votre grossesse a été confirmée, vous voilà déjà devant deux choix importants: quel médecin vous accompagnera au cours des prochains mois et où accoucherez-vous? Discutez-en avec votre médecin généraliste et avec des amis qui ont eu des enfants récemment. Les conceptions sur la grossesse et sur les méthodes d'accouchement peuvent varier énormément. Si vous désirez un accouchement le plus naturel possible, vous seriez déçue de vous retrouver avec un médecin qui pratique systématiquement une épisiotomie à ses patientes. L'essentiel est de trouver un spécialiste en qui vous aurez entièrement confiance.

Quant à l'endroit où aura lieu la naissance, il importe que vous et votre bébé y soyez pris en charge le mieux possible. Informez-vous sur les services offerts. Pensez à la proximité: si votre bébé doit rester à l'hôpital quelques jours de plus que vous, vous apprécierez de ne pas devoir traverser la ville pour lui rendre visite.

Au cours de votre première visite, votre médecin:

- vous demandera la date de vos dernières menstruations;
- confirmera le diagnostic de la grossesse;
- procédera à un examen général, à un examen gynécologique ainsi qu'à une cytologie pour dépister un cancer du col de l'utérus;
- vérifiera vos antécédents médicaux et obstétricaux (maladies, opérations, grossesses précédentes);
- vous interrogera, ainsi que votre conjoint, sur vos antécédents familiaux; si c'est possible, renseignez-vous sur les grossesses et les accouchements de votre mère;
- s'intéressera à vos habitudes de vie, en particulier à votre travail; si vous croyez que votre emploi présente des risques pour le fœtus, c'est le moment de lui en parler;
- vous fera une prise de sang, vérifiera votre groupe sanguin et votre facteur rhésus afin de déterminer si vous souffrez d'anémie, d'infections ou de maladies transmissibles sexuellement, et pour vérifier si vous avez des anticorps contre certaines maladies comme la rubéole;
- vous donnera un certificat attestant votre grossesse dont vous aurez besoin pour diverses formalités.

MOIS ______________
SEMAINE Nº ________

Lundi

12:00

18:00

Mardi

Mercredi

Jeudi

12:00

18:00

Vendredi

Samedi

Dimanche

Mon journal de la semaine

6. Et le papa, lui?

Dès qu'une femme est enceinte, elle devient le centre d'attraction. Dès que le bébé est né, tous les yeux se tournent vers lui. Et le papa, lui? Même si son aspect physique ne change pas, il ne faut pas se méprendre: le père évolue lui aussi au cours de la grossesse, surtout si c'est son premier bébé. Que peut-il bien se passer dans la tête d'un homme qui va devenir père?

D'abord, bien sûr, la joie et la fierté de savoir qu'il peut concevoir un enfant. Il a envie d'annoncer la nouvelle à tout le monde. La seconde réaction la plus commune est sans doute la peur de perdre sa liberté. Par ailleurs, l'homme dont la compagne attend un enfant traverse souvent une période d'inquiétude concernant les moyens financiers de la famille. Même si les deux conjoints travaillent et se proposent de continuer à le faire ensuite, le futur père se sent tout à coup le principal responsable des ressources financières. Il ressent également certaines appréhensions concernant la grossesse et l'accouchement. Comment réagira-t-il aux changements que connaîtra le corps de sa compagne? Que pourra-t-il bien faire d'utile au cours de l'accouchement?

Responsable

De plus en plus, les futurs pères veulent participer à la grossesse de leur compagne. La plupart d'entre eux sont déroutés, au début surtout, par les changements que subit le caractère de leur conjointe. Mais ils se rapprochent d'elle à mesure que son ventre prend de l'ampleur, que la grossesse devient plus visible, la trouvant embellie par toutes ces caractéristiques féminines qui s'épanouissent.

Le mot clé pour décrire l'évolution du futur père est sûrement responsabilité. Plus le ventre de sa compagne grossit, plus il se sent responsable. D'elle, du bébé, de l'argent, de l'avenir. Pour certains, le poids est lourd à supporter. Pour d'autres, il génère un formidable regain d'énergie qui les pousse à se dépasser.

MOIS ______________
SEMAINE Nº ______________

Lundi

12:00

18:00

Mardi

Mercredi

Jeudi

12:00

18:00

Vendredi

Samedi

Dimanche

Mon journal de la semaine

7. L'enfant jaloux

L'arrivée d'un petit frère ou d'une petite sœur constitue l'un des événements les plus bouleversants pour un enfant. Que ce soit au cours de la grossesse ou après, tous les aînés sont jaloux du nouveau bébé que tout le monde admire et qui accapare leurs parents. Avant même que vous ayez accouché, votre aîné se remettra peut-être à mouiller sa culotte, deviendra difficile ou agressif. Après la naissance, il pourra exprimer sa jalousie de différentes façons, selon son âge et son tempérament: demander à téter lui aussi, donner au bébé des baisers presque violents, se réveiller en pleurant la nuit, frapper ou mordre le nouveau-né ou vous-même, faire des colères. Voici des suggestions qui vous permettront de rendre cette période plus agréable pour tout le monde. Vous pourrez les adapter selon l'âge de votre enfant.

- Choisissez une journée où vous êtes tout à fait contente d'être enceinte pour lui annoncer votre grossesse.
- Dites-lui quand le bébé arrivera de façon qu'il comprenne («quand la neige s'en ira», par exemple).
- Offrez-lui un livre illustré sur la grossesse et sur l'accouchement. Il vous demandera probablement de le lui lire très souvent, même après la naissance. Répondez le plus clairement possible à ses questions. Lisez-lui aussi un livre décrivant les sentiments d'un enfant dont la mère vient d'avoir un bébé.
- Emmenez-le visiter l'endroit où vous accoucherez. Il saura où vous êtes et sera moins inquiet à ce moment-là.
- Précisez que le nouveau-né sera très petit et fragile, et qu'il ne pourra pas jouer tout de suite avec lui. Montrez-lui un nourrisson.
- Dites-lui à l'avance qui s'occupera de lui pendant votre séjour à l'hôpital. Choisissez quelqu'un qu'il aime beaucoup et demandez-lui d'organiser des activités intéressantes pour votre enfant. Le temps passera plus vite et il conservera de meilleurs souvenirs de la séparation.
- Montrez-lui des photos de lui quand il était bébé. Parlez-lui de votre bonheur à sa naissance et dites-lui que votre amour n'a fait que grandir depuis ce temps.
- Si vous devez installer l'aîné dans une nouvelle chambre ou dans un nouveau lit, faites-le plusieurs mois avant l'arrivée du bébé.
- Vérifiez si votre enfant pourra vous visiter après la naissance. Si c'est possible, dites-le-lui et insistez sur la hâte que vous ressentirez à l'idée de le voir.

Malgré tous vos efforts, il est fort probable que votre enfant s'écriera, un jour d'impatience: «Je n'en veux plus, du bébé. Je veux qu'on le renvoie à l'hôpital!» Mais comme vous aurez été avertie, vous vous contenterez de sourire et d'attendre que la tempête passe!

MOIS ______________

SEMAINE Nº __________

Lundi

12:00

18:00

Mardi

Mercredi

Jeudi

12:00

18:00

Vendredi

Samedi

Dimanche

Mon journal de la semaine

8. Quand appeler votre médecin

Les femmes enceintes connaissent toutes sortes de transformations et de petits malaises courants. Mais certains symptômes peuvent signaler un danger et vous devez en informer votre médecin immédiatement. Voici les plus courants:

- saignement vaginal (gardez le lit);
- perte ou écoulement vaginal;
- contact avec des maladies contagieuses (rubéole, roséole, etc.);
- douleurs au ventre qui persistent après que vous ayez pris du repos au lit, étendue sur le côté;
- enflure soudaine ou persistante des mains, des pieds ou du visage;
- maux de tête persistants;
- troubles de la vue, vision brouillée;
- étourdissements, vertiges, évanouissements répétés;
- diminution notable de la quantité d'urine;
- douleur ou sensation de brûlure au moment d'uriner; urine trouble;
- irritation vaginale;
- élévation marquée de température;
- nausées ou vomissements persistants;
- augmentation rapide de poids;
- perte de poids;
- diminution notable de l'activité du fœtus ou absence de mouvements pendant plus de trois jours.

Si vous ne pouvez parler à votre médecin, téléphonez à l'endroit où vous devez accoucher et demandez un autre médecin. Dites-lui votre nom, le nom de votre médecin, depuis combien de semaines vous êtes enceinte, et expliquez-lui clairement vos symptômes. Dans tous les cas, reposez-vous et restez calme.

MOIS ______________

SEMAINE Nº __________

Lundi

12:00

18:00

Mardi

Mercredi

Jeudi

12:00

18:00

Vendredi

Samedi

Dimanche

Mon journal de la semaine

9. Enceinte... et belle!

La peau s'étire, s'étire, puis reprend sa place. Les seins grossissent pendant la grossesse, prennent encore de l'ampleur au début de l'allaitement, puis reprennent leur forme initiale. Devenir enceinte, puis accoucher et retrouver son corps d'avant, c'est vivre toute une révolution. Voici quelques petits trucs pour rester belle pendant et après la grossesse.

Faites attention au soleil. Son effet conjugué à celui des hormones sécrétées par votre corps pourrait faire apparaître sur votre visage des taches brunâtres. Ces taches, qu'on appelle «masque de grossesse», ne disparaissent pas toujours après l'accouchement. Appliquez une crème écran total avant d'exposer votre visage au soleil.

Vos seins méritent toute votre attention. Portez un bon soutien-gorge, même la nuit si votre poitrine devient vraiment lourde, et changez-le à mesure que vos seins se modifient. Faites travailler les muscles pectoraux qui soutiennent vos seins, par exemple en poussant très fort vos mains placées l'une contre l'autre devant votre poitrine, les coudes écartés.

Quant aux vergetures, hantise des femmes enceintes, on n'y peut pas grand-chose. Les massages et les crèmes n'empêchent pas leur apparition, malgré ce qu'on en dit. On suggère de ne pas prendre trop de poids pour les éviter, mais une femme ayant pris seulement neuf kilos peut avoir énormément de vergetures et une autre, pas du tout malgré ses vingt kilos en plus. Il semble que l'apparition de vergetures soit surtout reliée au type de peau.

Vous perdrez beaucoup de cheveux après la naissance du bébé. Tout s'arrangera après quelques semaines.

Pour vos dents, en plus de les brosser soigneusement et de voir votre dentiste, vous devrez accorder une attention particulière au calcium dans votre alimentation. Le fœtus en a énormément besoin: si vous n'en prenez pas assez, c'est vous qui en manquerez et cela pourrait nuire à vos dents.

Si vous vous reposez, si vous délaissez l'alcool et le tabac, si vous choisissez une alimentation saine et faites de l'exercice, vous mettez toutes les chances de votre côté: loin de vous nuire, la grossesse vous embellira.

MOIS ______________
SEMAINE Nº __________

Lundi

12:00

18:00

Mardi

Mercredi

Jeudi

12:00

18:00

Vendredi

Samedi

Dimanche

Mon journal de la semaine

10. Les visites médicales

Toute femme enceinte rencontre son médecin ou sa sage-femme à plusieurs reprises pendant la grossesse. Au cours de la seconde visite médicale, et durant celles qui suivront, on vérifiera habituellement:

- votre tension artérielle;
- votre poids;
- votre urine pour analyser son contenu en protéines et en sucre;
- si vos jambes, vos mains ou votre visage sont enflés.

Le médecin mesurera votre utérus, ce qui lui permettra de suivre la croissance du fœtus. Il tentera de déterminer la grosseur et la position du bébé. À l'aide d'un stéthoscope à ultrasons, il vous fera entendre les battements du cœur de votre bébé. Durant les dernières semaines de la grossesse, il examinera le col de votre utérus pour vérifier si l'arrivée du bébé est imminente.

Vous profiterez de ces visites pour faire part à votre médecin de tous les symptômes que vous avez notés depuis votre dernière rencontre, surtout ceux qui vous inquiètent. Il vous donnera des conseils et des directives concernant votre alimentation et votre travail. N'hésitez pas à lui poser des questions sur la grossesse et sur l'accouchement. Il pourra calmer vos anxiétés.

MOIS ______________
SEMAINE Nº _________

Lundi

12:00

18:00

Mardi

Mercredi

Jeudi

12:00

18:00

Vendredi

Samedi

Dimanche

Mon journal de la semaine

11. Deux à la fois!

Les futurs parents se posent sans doute tous un jour la même question: «Et si c'étaient des jumeaux?» Ils en parlent entre eux avec une crainte mêlée d'excitation: des jumeaux, c'est tellement extraordinaire! La plupart oublient bien vite le sujet: seulement une grossesse sur quatre-vingt est ce qu'on appelle «gémellaire», c'est-à-dire qu'une femme enceinte sur quatre-vingt attend des jumeaux. Pour celle-là, la grossesse sera spéciale... le reste de sa vie aussi! Deux à la fois, c'est deux fois plus d'amour, et la chance d'observer jour après jour les liens étroits qui se développent entre les jumeaux.

Il existe deux sortes de jumeaux: les «vrais» et les «faux». Deux couples de jumeaux sur trois sont des «faux» jumeaux, c'est-à-dire qu'au moment de la conception, deux ovules ont été fécondés par deux spermatozoïdes différents. Les fœtus se développent ensemble dans l'utérus de leur mère, mais séparément. Les deux bébés pourront se ressembler, mais pas plus que s'ils étaient nés à quelques années d'intervalle. Dans le tiers des cas, par contre, on obtient de «vrais» jumeaux; ceux-ci sont du même sexe et se ressemblent «comme deux gouttes d'eau». Un seul ovule a été fécondé par un seul spermatozoïde; l'œuf s'est par la suite divisé en deux parties qui ont constitué chacune un embryon.

Doublement entourée

De nos jours, l'échographie permet de détecter ou de confirmer l'attente de jumeaux. Comme la grossesse gémellaire est plus exigeante pour le corps de la femme, celle-ci devra être encore plus attentive à ses besoins. Elle verra son médecin plus souvent: il veillera à détecter au plus tôt tout problème ou toute fatigue. La femme qui porte des jumeaux doit manger plus d'aliments nutritifs, et surtout se reposer davantage. Le repos importe énormément au cours des derniers mois, pour éviter de précipiter l'accouchement. En effet, il est fréquent que les jumeaux naissent plus tôt que prévu.

La future maman de jumeaux sera donc doublement entourée. Elle aura besoin d'aide, surtout si elle a déjà d'autres enfants, pendant la grossesse et encore plus après.

Allaiter des jumeaux, est-ce possible? Bien sûr: vos seins produiront une double ration de lait si c'est ce qu'on leur demande. Vous aurez cependant besoin de beaucoup de repos et d'une aide efficace.

Vous pourrez allaiter les nouveau-nés en même temps ou un à la fois, selon vos préférences.

En ce qui concerne l'allaitement de même que l'organisation des premières semaines, il serait sans doute très profitable de prendre contact avec d'autres parents de jumeaux qui pourront vous fournir quantité de trucs pour vous faciliter la vie. Il existe des associations de parents de jumeaux qui pourront sûrement vous venir en aide.

MOIS ______________
SEMAINE Nº ________

Lundi

12:00

18:00

Mardi

Mercredi

Jeudi

12:00

18:00

Vendredi

Samedi

Dimanche

Mon journal de la semaine

12. À l'aise et en beauté

De nos jours, la femme enceinte veut porter des vêtements dans lesquels elle sera à la fois belle et à l'aise. Pas besoin de vous précipiter au magasin dès que vous apprenez que vous allez avoir un bébé. Vous trouverez sûrement dans votre garde-robe (ou dans celle de votre compagnon!) de quoi traverser les premiers mois avec élégance.

Dès le début de la grossesse, choisissez des vêtements amples, qui ne nuiront pas à votre respiration. Privilégiez les tissus naturels. Choisissez des vêtements lavables: la transpiration augmente souvent au cours de la grossesse. Soyez prévoyante: vous allez grossir beaucoup, et pas seulement du ventre. Vos seins surtout vont augmenter de volume. Vous changerez probablement de taille de soutien-gorge à quelques reprises. Choisissez-les en coton, avec des bretelles larges. Vers la fin de la grossesse, si vous désirez allaiter, vous pourrez vous procurer des soutiens-gorge spéciaux, qui s'ouvrent facilement à l'avant.

Et les pieds...

Choisissez vos chaussures avec soin. Ce sont vos alliées contre les maux de jambes et de dos. Elles doivent être confortables, assez amples car les pieds enflent souvent à la fin de la grossesse. Les talons doivent être larges: le poids du fœtus modifie votre équilibre et ce n'est pas le moment de tomber. Insérez dans vos souliers une semelle coussinée pour diminuer la tension dans les jambes. Attention aux talons hauts, qui peuvent accentuer les maux de dos.

Voyager à deux

La femme dont la grossesse se déroule normalement n'a pas à se priver de voyager. Il importe cependant de prendre certaines précautions. Les voyages fatiguent, et la fatigue est précisément à éviter pendant la grossesse. Le fœtus, pour bien se développer, a besoin d'une mère détendue et pleine d'énergie.

En auto, attachez-vous toujours mais soyez attentive à passer la ceinture abdominale sous votre ventre pour ne pas écraser le bébé en cas d'accident. Faites des pauses fréquentes pour vous dégourdir les jambes.

Au cours du dernier mois de la grossesse, vos déplacements seront plus limités. On ne vous acceptera plus dans les avions et sur les bateaux. Et vous ne voudrez pas vous éloigner de peur de donner naissance à votre bébé dans un autre endroit que celui que vous avez choisi. Mais ne restez tout de même pas confinée à la maison.

MOIS ____________
SEMAINE Nº ________

Lundi

12:00

18:00

Mardi

Mercredi

Jeudi

12:00

18:00

Vendredi

Samedi

Dimanche

Mon journal de la semaine

13. Si vous travaillez à l'extérieur

Concilier travail et maternité est devenu l'une des préoccupations majeures des femmes modernes. Avant d'annoncer votre grossesse, informez-vous soigneusement auprès des organismes gouvernementaux pour bien connaître vos droits en ce qui concerne le congé et le retour au travail, ainsi que les obligations de votre employeur. Préparez-vous à répondre aux questions de votre supérieur: il voudra savoir pendant combien de temps il devra vous remplacer.

Ne vous engagez pas trop. Il est extrêmement difficile pour beaucoup de femmes de quitter un bébé après avoir vécu quelques mois en symbiose avec lui. Le confier à une garderie (appelée crèche en France) ou à une étrangère cinq jours par semaine pourrait vous sembler au-dessus de vos forces. Parlez-en à des amies. Certaines femmes optent pour un congé prolongé. D'autres recommencent à travailler à temps partiel. De toute façon, mieux vaut penser tout de suite aux questions pratiques: qui conduira bébé à son lieu de garde, qui ira le chercher, et surtout, où passera-t-il la journée?

Un abri pour votre trésor

En faisant garder votre bébé, vous désirez assurer autant son bien-être que son développement. Vous vous demandez d'abord s'il sera mieux dans une garderie ou dans un milieu familial. Peut-être préférerez-vous engager quelqu'un qui viendra s'en occuper chez vous. Cette solution, bien que souvent coûteuse, évite bien des habillages et des déshabillages, ainsi que des trajets pas toujours agréables, surtout le soir quand la mère et l'enfant sont fatigués.

Il existe plusieurs genres de garderies. Les enfants y sont divisés en groupes selon leur âge, et leurs soins sont assurés par des professionnels. Les garderies sont régies par des normes gouvernementales. Certains parents préfèrent placer leur bébé en garderie soit à cause des soins professionnels, soit parce que l'encadrement gouvernemental les rassure, soit parce qu'il pourra y rencontrer beaucoup d'autres enfants, ou encore, parce qu'ils sont assurés que la garderie ne les laissera pas tomber. Si c'est votre cas, dénichez tout de suite la garderie de votre choix et réservez une place dès maintenant. Les listes d'attente sont parfois fort longues.

Vous préférerez peut-être trouver quelqu'un qui s'occupera de votre poupon à domicile, surtout si vous travaillez à temps partiel ou à des heures irrégulières. Certaines gardiennes travaillent sous la supervision d'organismes gouvernementaux, d'autres non. Les parents qui choisissent cette option affirment que leur bébé se trouve mieux dans un environnement familial qu'en garderie. Ils apprécient que leur petit soit en contact avec moins d'enfants parce qu'il attrape moins de rhumes et de maladies. Ces parents favorisent le contact plus étroit avec la personne qui prend soin de leur bébé. Pour trouver une personne de confiance, consultez les organismes appropriés ou simplement votre entourage. Peut-être une amie fait-elle garder ses enfants chez une voisine?

MOIS ______________
SEMAINE Nº __________

Lundi

12:00

18:00

Mardi

Mercredi

Jeudi

12:00

18:00

Vendredi

Samedi

Dimanche

Mon journal de la semaine

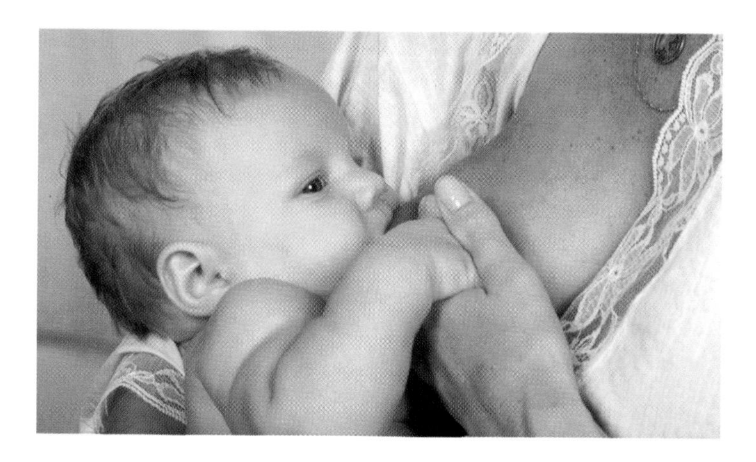

14. Allaiter ou ne pas allaiter

Vous avez un choix important à faire: allaiter votre bébé ou le nourrir de lait maternisé. Les pédiatres s'entendent pour dire que le lait maternel est supérieur au lait maternisé, mais le choix dépend de vous et de votre conjoint. Car même si vous décidez d'allaiter, la participation du papa est nécessaire. Les premières semaines avec un bébé demandent beaucoup d'énergie: même si la mère est la seule à pouvoir nourrir l'enfant, elle a besoin d'aide et de soutien.

Avantages de l'allaitement maternel

- Le lait maternel est le seul qui soit parfaitement adapté au nouveau-né: il est différent selon que le bébé naît prématurément ou à terme. Il change même pendant la tétée: le lait du début, moins concentré, désaltère plus.
- Le lait maternel est mieux adapté au développement du cerveau humain. Le lait de vache, même maternisé, demeure du lait de vache.
- Il contient des anticorps: le nouveau-né est protégé contre plusieurs infections et allergies.
- Le bébé digère et assimile plus facilement les éléments nutritifs contenus dans le lait de sa mère que ceux du lait de vache.
- L'allaitement est aussi profitable pour la mère. C'est la suite logique de la grossesse: allaiter prévient les hémorragies et aide l'utérus à reprendre ses dimensions normales. De plus, les femmes qui ont allaité courent moins de risques de développer un cancer du sein.
- Le lait maternel est gratuit alors que le lait maternisé coûte cher.
- Allaiter sauve du temps: pas de biberons à préparer, à stériliser, à ranger; pas besoin non plus d'aller acheter du lait.
- Le lait maternel est toujours prêt, toujours à la bonne température. La nuit, quand le bébé se réveille en hurlant de faim, c'est bien pratique!
- Allaiter est plus commode pour les jours de promenade et pour les vacances: pas de biberons à trimbaler, pas besoin de chercher comment on réchauffera le lait. On peut allaiter n'importe où.

Avantages du biberon

- La mère peut quitter son bébé pour une longue période plus facilement: pas besoin d'extraire son lait.
- La mère peut manger, boire et fumer ce qu'elle veut sans se préoccuper du bébé. Elle peut aussi prendre des médicaments sans craindre que cela affecte le bébé.
- Le choix des moyens de contraception est plus grand quand la mère n'allaite pas.
- Le bébé peut être nourri par quelqu'un d'autre que sa mère; celle-ci peut se reposer plus facilement.

Bien sûr, à côté de cette liste d'avantages comparatifs, il y a les sentiments: certaines femmes ne peuvent s'imaginer mettant une tétine de caoutchouc dans la bouche de leur nouveau-né au lieu de le blottir contre leur sein. D'autres considèrent qu'elles ont assez donné durant neuf mois et préfèrent le biberon pour se libérer plus vite de leur bébé. Si vous hésitez, pourquoi ne pas commencer par allaiter? Il sera toujours temps de passer au biberon, alors que l'inverse est impossible: si vous n'allaitez pas dès le début, votre lait se tarira. L'essentiel c'est que le papa et la maman soient contents de leur choix: un bébé a d'abord besoin de parents heureux.

MOIS ______________

SEMAINE Nº _________

Lundi

12:00

18:00

Mardi

Mercredi

Jeudi

12:00

18:00

Vendredi

Samedi

Dimanche

Mon journal de la semaine

15. Une mère en pleine forme

L'accouchement peut être comparé à un exploit sportif. Pour vous sentir bien pendant la grossesse et faciliter votre accouchement, rien de tel que l'exercice. Bien sûr, plus votre ventre grossira, moins vous aurez envie de bouger. Mais si vous prenez l'habitude de faire de l'exercice dès le début, les bienfaits que vous en retirerez vous encourageront à continuer.

On recommande aux femmes enceintes trois types d'exercices. Les premiers sont des exercices de respiration qui vous aideront grandement au cours de l'accouchement (voir page 74 n° 25). Les seconds ont pour effet d'assouplir les muscles les plus actifs pendant l'accouchement (voir page 62 n° 19). Quant aux exercices de relaxation, ils vous apprendront à vous détendre et à relâcher vos muscles, et seront d'une valeur inestimable non seulement pendant la naissance, mais aussi au cours des mois qui suivront (voir page 78 n° 27).

Des sports doux

Pendant les premiers mois de la grossesse, vous pouvez continuer à pratiquer vos sports favoris à moins d'avoir déjà fait une fausse couche ou d'avoir des saignements vaginaux. En cas de doute, consultez votre médecin. Évitez la compétition et le surmenage. Il vaut mieux délaisser les sports violents et ceux qui comportent des risques de chute et de secousses.

La marche est idéale: on peut la pratiquer n'importe où, elle ne coûte rien, et elle s'intègre bien à vos activités. Pourquoi ne pas marcher pour aller travailler ou faire une promenade tous les midis? L'autre activité préférée des femmes enceintes est la natation. Flotter dans une piscine après une journée fatigante repose énormément. Des cours destinés aux femmes enceintes sont offerts dans plusieurs piscines*.

Et n'oubliez pas que vous partagez avec votre bébé les bienfaits de l'exercice!

---

* Si vous aimez l'eau, vous apprécierez sûrement le livre *Exercices aquatiques pour les futures mamans,* publié aux Éditions de l'Homme.

MOIS ____________
SEMAINE Nº ________

Lundi

12:00

18:00

Mardi

Mercredi

Jeudi

12:00

18:00

Vendredi

Samedi

Dimanche

Mon journal de la semaine

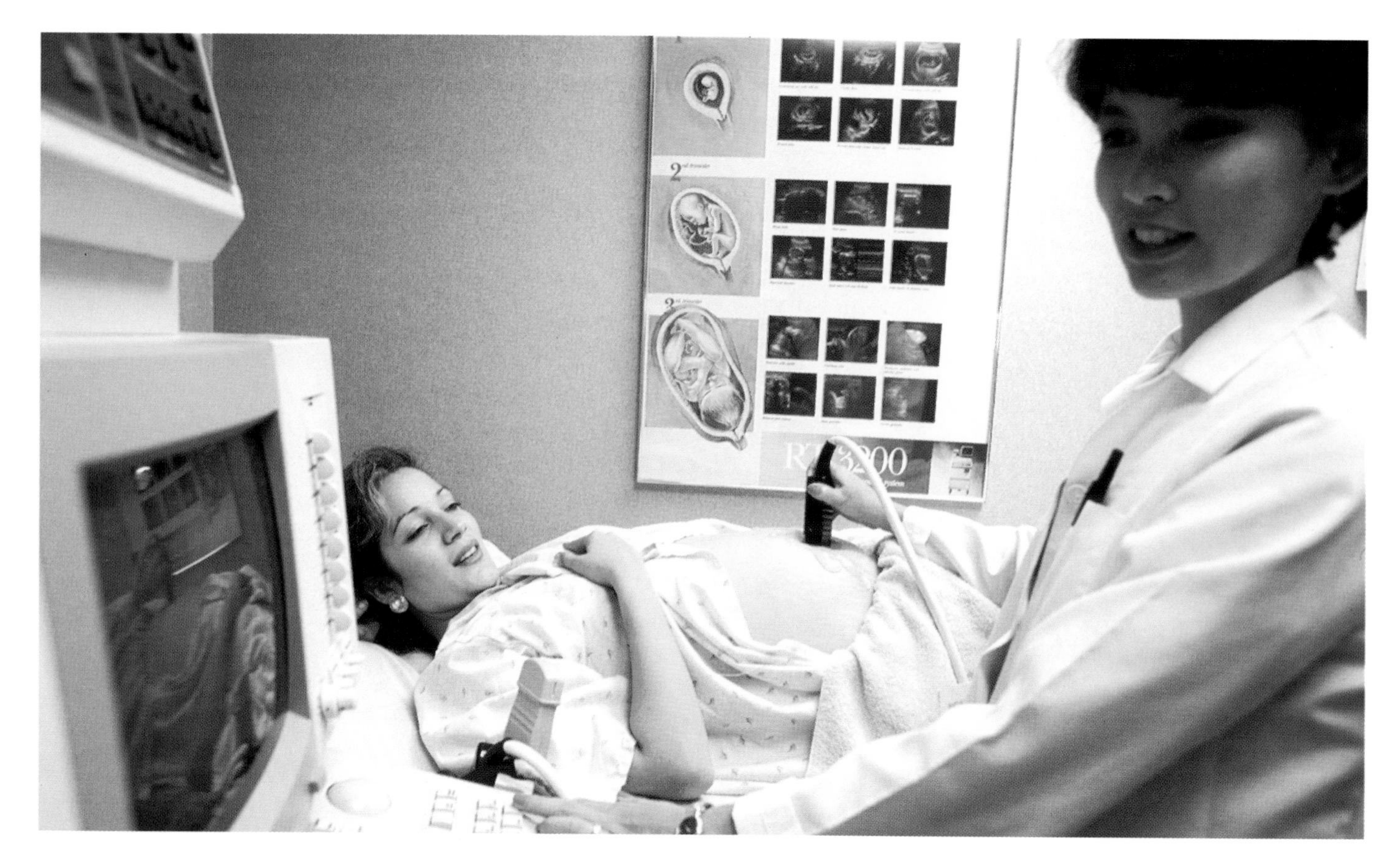

16. Un coup d'œil sur bébé

À une époque où tout est pesé, mesuré, analysé, le fœtus qui se développe en vous peut vous paraître bien mystérieux. L'échographie vous permettra de voir ce bébé que vous abritez et de vous rassurer sur sa santé. Pour la plupart des parents, l'échographie représente un soulagement immense: leur bébé est bien normal, il a deux bras, deux jambes, une tête. Cette expérience constitue pour plusieurs un choc: cet être qu'ils imaginaient, ils le voient bouger sous leurs yeux. Il est bien réel, et dans quelques mois ils le serreront dans leurs bras.

L'échographiste utilise des ultrasons qui lui permettent de voir le fœtus. En promenant une sonde sur le ventre de la mère, il fait apparaître l'image du bébé sur un écran. Il peut ainsi examiner ses organes et ses membres de façon à vérifier que tout va bien. Il mesure certaines parties de son corps et détermine ainsi avec exactitude l'âge du fœtus. Cela s'avère utile quand la date des dernières menstruations n'est pas significative.

L'échographie permet donc de savoir si la femme attend des jumeaux. Dans ce cas, la grossesse sera suivie avec plus d'attention et les parents pourront se préparer en conséquence!

Les parents profitent de l'échographie pour s'informer de la santé de leur bébé. N'hésitez pas à poser des questions. Cependant, l'échographiste doit pouvoir faire son travail. S'il vous semble concentré au cours de l'examen, attendez qu'il ait fini pour l'interroger. Il pourra alors vous en dire plus long.

L'échographie constitue pour certains parents l'occasion de connaître le sexe de leur enfant. D'autres préféreront vivre le suspense jusqu'à l'accouchement. De toute façon, il y a toujours un risque d'erreur: vous pourriez aussi avoir une surprise à la naissance!

MOIS ______________
SEMAINE Nº ________

Lundi

12:00

18:00

Mardi

Mercredi

Jeudi

12:00

18:00

Vendredi

Samedi

Dimanche

Mon journal de la semaine

17. La sexualité pendant la grossesse

La sexualité d'un couple est grandement influencée par l'image que chacun se fait de soi-même et de son partenaire. La vie sexuelle peut donc être très différente au cours de la grossesse, car le corps de la femme change énormément. De plus, lorsqu'ils attendent leur premier enfant, les deux partenaires commencent à se considérer comme des parents et non plus seulement comme des amants.

Certains couples connaissent une vie sexuelle plus active parce qu'ils peuvent enfin faire l'amour sans utiliser de contraceptif et sans en craindre les conséquences. D'autres se sentent libérés, mais dans leur cas, c'est parce qu'ils ne pensent plus sans arrêt à concevoir un enfant.

D'autres couples font l'amour moins souvent, pour toutes sortes de raisons. Au premier trimestre, la femme peut éprouver moins de désir à cause des nausées dont elle souffre, parce que ses seins sont douloureux, ou tout simplement parce qu'elle est constamment épuisée. Le second trimestre peut ramener l'envie d'avoir des relations sexuelles, mais gare au troisième: c'est l'étape de la gymnastique. Le ventre de la femme est devenu tout un obstacle aux rapprochements! Cette période permet souvent au couple de découvrir et d'explorer des activités sexuelles autres que la pénétration: les massages, les caresses, les relations orales. Si certaines personnes craignent que leur vie sexuelle ne sorte diminuée de l'expérience de la grossesse, elles sont souvent surprises de constater l'inverse: les partenaires découvrent en eux des richesses insoupçonnées.

Un mot sur la peur de la relation sexuelle, qui hante plusieurs couples lorsque la femme devient enceinte: dans des conditions normales, le fœtus n'est nullement affecté par la pénétration. Cependant, si vous avez déjà fait une fausse couche ou si vous avez des saignements vaginaux, il vaut mieux éviter la pénétration. Dans le doute, consultez votre médecin.

MOIS ______________
SEMAINE Nº __________

Lundi

12:00

18:00

Mardi

Mercredi

Jeudi

12:00

18:00

Vendredi

Samedi

Dimanche

Mon journal de la semaine

18. Les petits désagréments

Certaines femmes voudraient être enceintes toute leur vie. Elles se sentent importantes, remplies d'amour et débordantes de bonheur. D'autres traversent leur grossesse avec une seule envie: tenir enfin dans leurs bras ce poupon pour lequel elles endurent cette série d'épreuves! Il faut dire que la grossesse peut engendrer une multitude de petits problèmes ou de malaises tout à fait normaux qui, lorsqu'ils s'aggravent ou s'additionnent, font baisser le moral. En voici quelques exemples, avec des trucs pour les éliminer ou les atténuer.

- Les nausées: évitez de boire pendant les repas et prenez des repas légers. Mangez quelque chose avant de sortir du lit le matin. Ne restez jamais plus de trois heures sans manger.
- Le mal de dos: tenez-vous droite, ne cambrez pas trop le dos, pliez les genoux plutôt que de vous pencher et faites des exercices.
- Les gencives qui saignent: nettoyez vos dents avec soin et consultez un dentiste.
- La constipation et les hémorroïdes: buvez beaucoup, consommez des aliments riches en fibres et faites de l'exercice. Évitez les laxatifs.
- Les problèmes de digestion: évitez les mets épicés, l'eau minérale, les aliments trop riches, ceux qui fermentent (les choux, les légumineuses, la friture), le bicarbonate de soude, les repas copieux. Faites une promenade après le repas.
- Les envies fréquentes d'uriner: il n'y a rien à faire, et plus le ventre grossit, plus il faut y aller souvent! Habillez-vous en conséquence.
- L'intolérance aux lentilles de contact: portez vos lunettes; tout rentrera dans l'ordre après l'accouchement.
- Les éruptions cutanées: choisissez des vêtements et des tissus naturels.
- Les étourdissements: levez-vous toujours lentement. Si vous ne vous sentez pas bien, reposez-vous au lit, étendue sur le côté gauche pour faciliter la circulation.
- L'insomnie: voir page 78 n° 27.
- La rétention d'eau: il est normal que vos mains, votre visage, vos chevilles et vos pieds soient un peu enflés, surtout à la fin de la grossesse. Reposez-vous.
- La peau sèche: utilisez un savon neutre et des produits non parfumés. Appliquez de l'huile d'amande douce ou de la crème sur les parties sèches.
- Les douleurs aux jambes: voir page 68 n° 22.

MOIS ______________

SEMAINE Nº __________

Lundi

12:00

18:00

Mardi

Mercredi

Jeudi

12:00

18:00

Vendredi

Samedi

Dimanche

Mon journal de la semaine

19. Quelques exercices musculaires

Nous ne pouvons exposer ici un programme complet d'exercices destinés à la femme enceinte*. En voici cependant quelques-uns dont les bienfaits se feront sentir pendant et même après l'accouchement.

Exercice du Dr Kegel

Le périnée est sans doute le muscle qui sera le plus mis à l'épreuve. Il soutient votre utérus pendant toute la grossesse et s'étire ensuite énormément pour laisser passer le bébé. La prochaine fois que vous urinerez, arrêtez momentanément le jet; ce sont les muscles qui permettent cette interruption qu'il vous faut exercer. Durant la journée, contractez-les une dizaine de fois, aussi souvent que vous y pensez. Il n'est pas exagéré de le faire 100 fois par jour. Cet exercice pourra faciliter votre accouchement et empêcher par la suite des problèmes d'incontinence urinaire.

Accroupie

Debout, dos au mur et pieds légèrement écartés, accroupissez-vous lentement en gardant les talons au sol. Évitez les mouvements brusques et ne pointez pas vos pieds vers l'intérieur. Répétez l'exercice entre cinq et dix fois par jour jusqu'à ce que vous puissiez rester accroupie pendant deux minutes.

Les abdominaux

Vos muscles abdominaux devront s'étirer beaucoup au cours de la grossesse. Pour les garder en forme, asseyez-vous en tailleur, les mains sur le ventre. Inspirez en gonflant votre ventre. En expirant, resserrez vos muscles abdominaux en rentrant le ventre le plus possible. Maintenez cette position cinq secondes, puis détendez-vous et recommencez.

---

* Vous trouverez un programme complet d'exercices dans *Bientôt maman,* un guide pour les futures mères publié aux Éditions de l'Homme.

MOIS ______________
SEMAINE Nº ________

Lundi

12:00

18:00

Mardi

Mercredi

Jeudi

12:00

18:00

Vendredi

Samedi

Dimanche

Mon journal de la semaine

✍

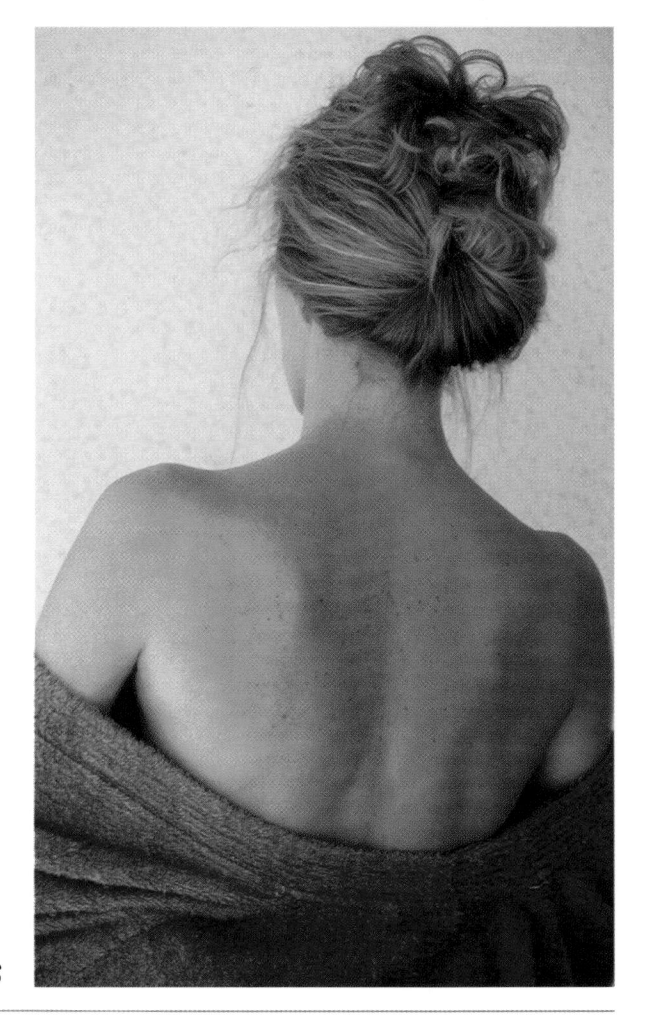

20. Crèmes, huiles et massages

Quelle meilleure façon, pour le futur père, de participer à la grossesse de sa compagne en soulageant ses petits maux par un massage quotidien? Quel plaisir pour une femme de s'étendre après une journée épuisante et de se laisser masser par son conjoint!

Le massage mérite une place importante dans votre vie parce qu'il est bienfaisant pour la peau, la musculature, la circulation, le système nerveux, les organes internes... et le moral! C'est aussi une excellente façon de s'entraîner en vue de la performance que constitue l'accouchement. Un bon massage vous laissera une sensation de bien-être physique et mental.

Vous pouvez consulter un professionnel du massage, mais les massages maison peuvent s'avérer tout aussi bénéfiques. Indiquez à votre compagnon les parties de votre corps qui sont tendues ou douloureuses, puis laissez-vous aller. Il pourra utiliser une crème grasse et hydratante, de l'huile de coco ou de l'huile d'amande douce: la peau ayant tendance à se dessécher pendant la grossesse, elle en bénéficiera.

Massage du ventre

Pourquoi ne pas entrer en contact avec votre bébé en lui faisant profiter à lui aussi des bienfaits du massage? Papa et maman peuvent le caresser et jouer avec lui; il réagira et répondra à vos gestes. Caresser votre bébé tout en lui parlant ou en lui chantant une berceuse peut le sécuriser tout en lui permettant de se familiariser avec vous.

MOIS ______________
SEMAINE Nº ________

Lundi

12:00

18:00

Mardi

Mercredi

Jeudi

12:00

18:00

Vendredi

Samedi

Dimanche

Mon journal de la semaine

21. La layette: un peu de réalisme!

Les vêtements pour bébés font fondre le cœur de bien des gens. Est-ce pour cette raison qu'ils sont souvent plus beaux que pratiques? Attention aux vêtements qu'on admire mais qu'on laisse dans les tiroirs. Voici quelques points à vérifier avant d'acheter.

- Le vêtement est-il lavable à la machine? Les bébés salissent parfois quatre ou cinq tenues en une seule journée; pensez-y!
- Bébé sera-t-il au chaud? C'est beau, des cuisses dodues, mais des culottes courtes en hiver ne sont pas très appropriées, même à l'intérieur. Les bébés sont très sensibles au froid.
- Pourrez-vous changer la couche facilement?
- Le vêtement s'enfile-t-il par la tête? Les premiers mois, le bébé ne tient pas sa tête tout seul. Pas facile de lui mettre un gilet ou une robe.
- L'encolure est-elle assez grande? C'est souvent un problème.
- Les boutons-pression s'ouvrent-ils facilement?

En général, les vêtements de bébé doivent être chauds, amples et confortables. Choisissez des matières naturelles comme le coton et la laine: les bébés développent souvent des allergies aux matières synthétiques.

N'achetez pas trop de vêtements de la plus petite taille. Les bébés grandissent incroyablement vite au cours des premières semaines. Il est préférable de choisir des vêtements plus grands que votre bébé portera pendant plusieurs mois. De cette façon, ils seront plus faciles à enfiler au début, au moment où vous vous sentirez le plus maladroite.

Lavez tout le linge de bébé avant de l'utiliser. Et pensez sécurité: pas de longs rubans qui pourraient l'étouffer, ni d'épingles qui pourraient le piquer.

Les jeunes bébés n'usent à peu près pas leurs vêtements. Il peut s'avérer très économique d'acheter ou d'emprunter des vêtements usagés. Vous pourrez ensuite les prêter à une autre maman...

MOIS ________________
SEMAINE Nº ________

Lundi

12:00

18:00

Mardi

Mercredi

Jeudi

12:00

18:00

Vendredi

Samedi

Dimanche

Mon journal de la semaine

22. Aïe! mes jambes!

La grossesse constitue une période éprouvante pour les jambes, qui doivent supporter un poids augmentant constamment. Voici quelques trucs pour soulager vos jambes.

Les crampes apparaissent surtout à la fin de la grossesse, pendant que vous vous reposez. Elles sont souvent causées par un manque de calcium. Évitez de pointer les pieds et de retrousser les orteils. Pour faire disparaître une crampe, il faut étirer lentement le muscle atteint. Si vous avez une crampe au mollet, gardez le genou droit et pliez votre pied pour pointer les orteils vers votre visage. Le talon au sol, penchez-vous doucement vers l'avant. Pour soulager une crampe dans le pied, étirez vos orteils et votre pied avec la main. Lorsque vous vous êtes débarrassée de la crampe, massez l'endroit endolori.

Les douleurs aux jambes et les chevilles enflées affectent la plupart des femmes enceintes. Pour les éviter, ainsi que les varices, il importe d'améliorer votre circulation sanguine. Évitez de rester immobile, surtout lorsque vous êtes debout. Ne croisez pas les jambes lorsque vous êtes assise. Profitez de toutes les occasions de vous asseoir les pieds surélevés. Évitez les bains trop chauds. Vous pouvez aussi porter des bas de soutien, que vous enfilerez avant même de sortir du lit le matin. Enfin, marchez au moins une demi-heure par jour; c'est essentiel!

MOIS ____________
SEMAINE Nº ________

Lundi

12:00

18:00

Mardi

Mercredi

Jeudi

12:00

18:00

Vendredi

Samedi

Dimanche

Mon journal de la semaine

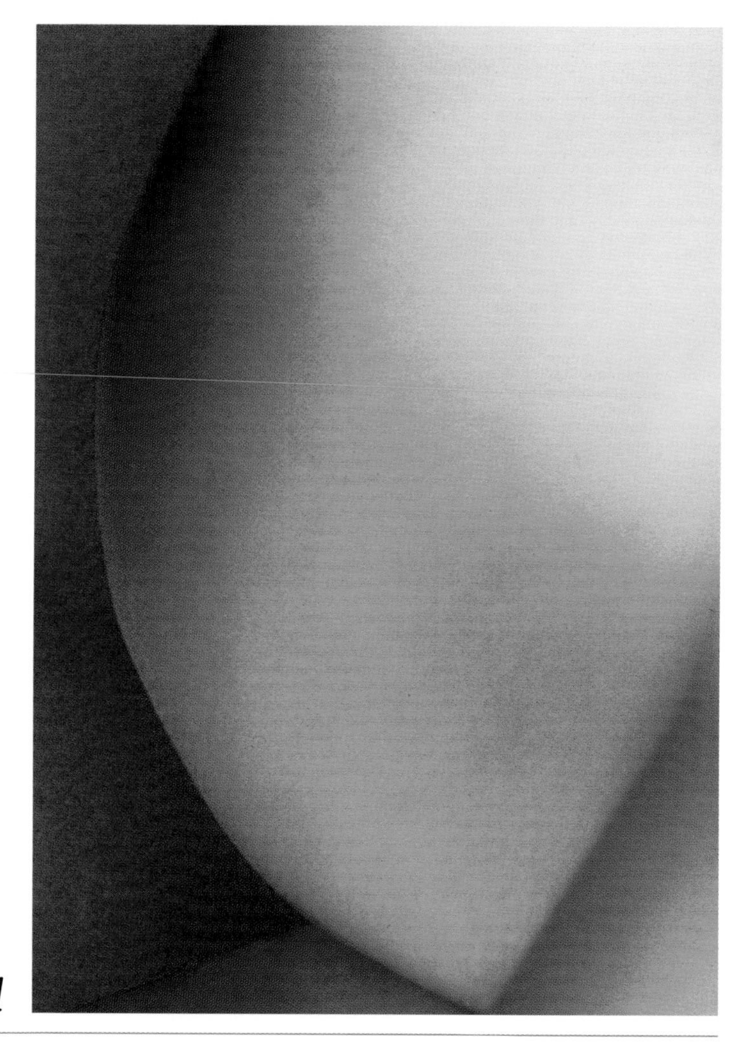

23. Votre bébé vous entend

Si vous avez envie de communiquer à votre enfant votre bonheur de l'attendre, ne vous en privez surtout pas par peur du ridicule. Il vous entend, les chercheurs en sont maintenant sûrs. Dès la fin du cinquième mois de la grossesse, le fœtus peut percevoir votre voix.

Bien sûr, il entend d'abord les bruits de l'intérieur: votre cœur qui bat (voilà peut-être pourquoi les bébés se calment si vite quand on les serre contre soi) et tous les sons que produit votre organisme, par exemple la digestion. Mais le fœtus parvient aussi à saisir les bruits de l'extérieur: votre voix et celle des gens qui vous entourent. Des expériences ont prouvé que les nouveau-nés reconnaissent la voix de leur mère parmi celles de plusieurs femmes. Alors parlez à votre enfant, présentez-lui sa famille, décrivez-lui tout ce que vous aimez.

Faites-lui aussi entendre de la musique. Pourquoi ne pas choisir une pièce musicale que vous lui ferez entendre tous les jours, dans un climat de calme, par exemple au moment où vous vous reposez? Cela vous permettra d'établir un contact privilégié avec lui. Après sa naissance, lorsque vous lui ferez entendre cette pièce de musique, il pourra la reconnaître. Certains bébés se calment instantanément lorsqu'ils entendent une musique qu'ils ont associée au calme et au bien-être vécus dans le ventre de leur mère.

Chantez pour votre bébé. Après sa naissance, vous pourrez lui fredonner les mêmes mélodies pour l'apaiser, et il retrouvera sa sensation de bien-être.

Et attention aux bruits trop forts: bébé pourrait sursauter!

MOIS ____________
SEMAINE Nº ________

Lundi

12:00

18:00

Mardi

Mercredi

Jeudi

12:00

18:00

Vendredi

Samedi

Dimanche

Mon journal de la semaine

24. Un coin pour bébé

Vous rêvez d'ours en peluche et d'arcs-en-ciel sur les murs? Aménager la chambre du bébé devient souvent prétexte à des rêveries infinies et permet parfois de découvrir que le futur papa ou la future maman cachait des talents de bricoleur!

Un nouveau-né a d'abord besoin d'un endroit confortable pour dormir, que ce soit dans une pièce pour lui tout seul ou dans un coin tranquille. La chambre doit pouvoir être maintenue à une température d'au moins 18 à 20 °C en tout temps. Votre bébé se promènera à quatre pattes dans quelques mois; prévoyez donc une chambre sans danger, pratique et facile à nettoyer. Évitez le papier peint: les bébés adorent l'arracher. Pensez aux rideaux si vous ne voulez pas vous faire réveiller à l'aube!

Le meuble le plus important pour un bébé est son lit. Choisissez-le solide et sûr. Attention, l'espace entre les barreaux ne doit pas dépasser six centimètres; la distance entre le matelas placé à son plus bas niveau et la traverse supérieure du côté du lit doit atteindre au moins 66 centimètres. Vérifiez si le lit n'est pas recouvert d'une peinture toxique. Peut-être préférerez-vous utiliser un berceau pour les premiers mois: les bébés adorent être bercés. Dans le lit, prévoyez des couvertures légères et chaudes; pas d'oreiller, votre bébé risquerait de s'étouffer.

Des milliers de couches

Quoi d'autre dans la chambre de bébé? Un endroit pour le changer de couche et l'habiller. Au cours des prochaines années, vous allez changer votre bébé des milliers de fois; aménagez un endroit pratique pour le faire. On trouve des tables à langer dans les magasins, mais vous pouvez en concevoir une vous-même. Choisissez une commode ou une table assez grande et assez haute pour que vous n'ayez pas à trop vous pencher, installez-y un matelas à langer et le tour est joué. Attention: il ne faut jamais laisser bébé sans surveillance sur une table. Même un nouveau-né peut gigoter assez pour tomber.

Enfin, pour les câlins, pour nourrir bébé et pour les nuits difficiles, une bonne chaise berçante est toujours appréciée. Pourquoi ne pas la demander en cadeau?

MOIS ______________
SEMAINE Nº ________

Lundi

12:00

18:00

Mardi

Mercredi

Jeudi

12:00

18:00

Vendredi

Samedi

Dimanche

Mon journal de la semaine

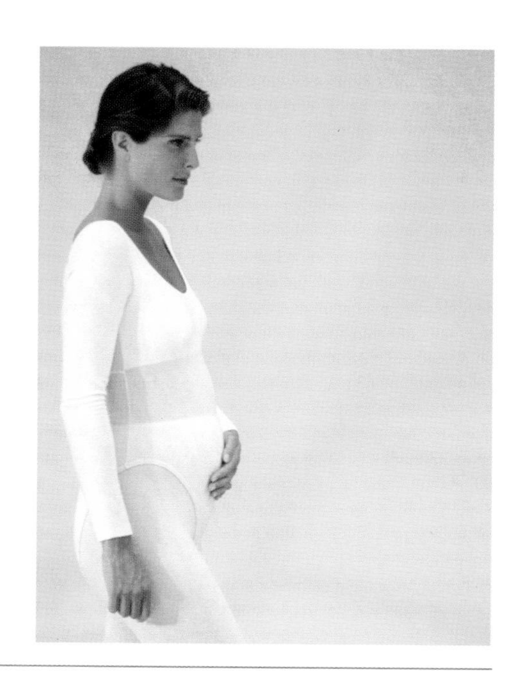

25. Les respirations: s'exercer pour l'accouchement

Adopter une respiration régulière vous aidera énormément au moment de l'accouchement. Même s'il peut vous sembler fastidieux de pratiquer des techniques de respiration, mettez-les en pratique dès maintenant; vous y aurez tout naturellement recours au moment d'accoucher. Dans l'agitation des contractions, les trucs qu'on s'est contenté de lire sans les mettre en pratique s'évanouissent et ne servent à rien. Voici quatre techniques de respiration qui pourront vous être utiles.

La respiration lente

Lorsque vos contractions deviendront assez fortes pour vous empêcher de parler ou de marcher normalement, vous gagnerez à utiliser la respiration lente. Inspirez doucement et calmement par le nez et videz ensuite vos poumons complètement en expirant lentement par la bouche. Vous prendrez de six à dix respirations par minute. Détendez-vous.

La respiration accélérée

Si la respiration lente ne vous permet plus de vous détendre parce que les contractions deviennent plus fortes, vous pourrez utiliser la respiration accélérée. Au début de la contraction, vous adoptez la respiration lente, mais lorsqu'elle devient vraiment forte, vous respirez plus vite et moins profondément par la bouche. Reprenez la respiration lente lorsque la contraction s'achève.

La respiration de transition

La phase de transition constitue souvent la période la plus difficile de l'accouchement. Le halètement pourra vous aider à la traverser, surtout si vous ressentez le besoin de pousser avant que le col de l'utérus ne soit complètement ouvert; dans ce cas, vous devrez contenir ce besoin, ce qui est très ardu. Inspirez légèrement par la bouche, expirez entre vos lèvres entrouvertes en haletant. Videz vos poumons et recommencez.

La respiration d'expulsion

Au moment d'expulser votre bébé, laissez-vous guider par votre corps et par les conseils des personnes qui vous assistent. Au début de la contraction, prenez une respiration profonde. Puis inspirez à nouveau et poussez comme pour aller à la selle en retenant votre respiration ou en expirant lentement. Détendez les muscles du bassin: pensez à laisser passer le bébé.

MOIS ____________
SEMAINE Nº ________

Lundi

12:00

18:00

Mardi

Mercredi

Jeudi

12:00

18:00

Vendredi

Samedi

Dimanche

Mon journal de la semaine

26. Mouvements et positions de la vie quotidienne

Des gestes banals peuvent devenir très difficiles à accomplir à mesure que le ventre prend de l'ampleur: mettre ses bas, enfiler ses bottes, prendre un enfant, sortir du lit. Voici quelques trucs qui vous faciliteront la vie.

Assise: Ne vous laissez pas tomber dans un fauteuil, le buste incliné vers l'avant. Choisissez une chaise confortable, assez haute, au dossier droit. Évitez de croiser les jambes: cela nuit à la circulation. Placez vos jambes au niveau de votre bassin ou plus haut. Pour assurer votre équilibre lorsque vous vous asseyez et vous relevez, mettez un pied devant l'autre et utilisez les muscles de vos jambes.

Debout: Évitez de cambrer le dos. Ne restez pas longtemps immobile. Si vous devez travailler debout, écartez un peu les jambes et pliez légèrement les genoux; balancez doucement le poids de votre corps d'une jambe à l'autre.

Allongée: Lorsque le fœtus est devenu assez lourd, la seule position agréable pour se reposer et dormir consiste à s'étendre sur le côté. Pour être plus confortable, placez un oreiller entre vos cuisses et un autre sous votre ventre. Pour vous lever, placez-vous sur le côté près du bord du lit. Pliez les genoux, placez vos mains sur le matelas devant vous et appuyez sur vos mains pour vous asseoir en faisant glisser vos jambes vers le sol. Levez-vous lentement. Évitez de forcer vos muscles abdominaux en vous levant sans vous tourner d'abord sur le côté.

Soulever ou déposer un objet ou un enfant: Profitez-en pour vous accroupir: cette position fait travailler des muscles utiles au cours de l'accouchement. Approchez-vous de l'objet ou de l'enfant. Pliez les genoux en les tenant écartés l'un de l'autre et gardez le dos droit: cela vous permettra de rester en équilibre. Ne vous penchez jamais en gardant les jambes raides.

Prendre ou déposer un objet au-dessus de votre tête: Placez un pied devant l'autre en faisant reposer votre poids sur les deux jambes. Mettez-vous sur la pointe des pieds en levant les deux bras et non un seul.

MOIS ____________
SEMAINE Nº ________

Lundi

12:00

18:00

Mardi

Mercredi

Jeudi

12:00

18:00

Vendredi

Samedi

Dimanche

Mon journal de la semaine

27. Pour contrecarrer l'insomnie

Pas facile de dormir durant les derniers mois! On ne sait plus quelle position adopter pour se sentir un peu confortable, on doit se lever plusieurs fois par nuit pour uriner et on s'éveille immanquablement engourdie et courbaturée. Comme la femme enceinte prend de plus en plus de place dans le lit, son insomnie est parfois partagée par son conjoint. Pour y remédier, vous pouvez essayer ceci:

- **Détendez-vous:** En vous mettant au lit, adoptez une respiration lente et profonde et concentrez-vous sur chacune des parties de votre corps, une à une, afin de détendre vos muscles. Commencez par vos orteils et passez aux pieds, aux jambes et ainsi de suite, à mesure que vous vous détendez. Au début, votre compagnon pourra vous aider en vous touchant, pour vérifier si vous êtes bien détendue. Cet exercice vous sera extrêmement utile au cours de l'accouchement, alors qu'il vous faudra vous détendre le plus possible.
- Prenez un **souper léger,** quitte à prendre une petite collation avant de vous coucher.
- Faites une **promenade** avant de vous mettre au lit.
- Pratiquez vos exercices de **respiration** avant de vous endormir.
- Prenez un **bain** tiède avant le coucher.
- Évitez les **excitants** (thé, café, chocolat...).
- Repoussez doucement les **idées stressantes** lorsque vous êtes couchée. Remplacez-les par des pensées agréables. Vous pouvez garder près de votre lit un papier sur lequel vous inscrirez les choses à ne pas oublier: les écrire vous permettra de vous libérer l'esprit.
- Ne prenez surtout **pas de sédatif.** Si vous éprouvez vraiment de graves problèmes d'insomnie, consultez votre médecin.

MOIS ______________
SEMAINE Nº ________

Lundi

12:00

18:00

Mardi

Mercredi

Jeudi

12:00

18:00

Vendredi

Samedi

Dimanche

Mon journal de la semaine

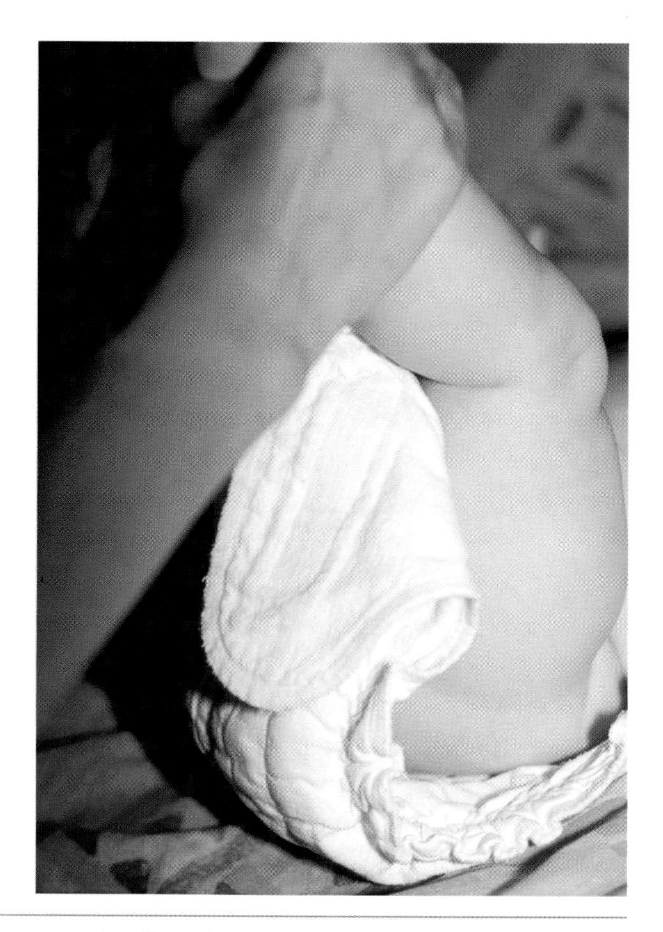

28. Des fesses bien enrobées

L'invention des couches jetables a libéré bien des mères de la corvée du lavage et du pliage des couches. Mais les torts causés à l'environnement par les montagnes de couches jetables qui envahissent chaque jour les dépotoirs — une couche jetable met plusieurs décennies à se décomposer — nous invitent maintenant à revenir à l'emploi des couches réutilisables.

La couche de coton a changé du tout au tout depuis l'époque de nos mères. On en trouve maintenant qui ressemblent en tous points aux couches jetables: colorées et seyantes, elles s'ajustent bien aux formes de bébé grâce aux élastiques placés aux cuisses et à la taille, ainsi qu'aux attaches en velcro ou aux boutons-pression. Pas besoin de plier ces nouvelles couches: il suffit de les laver, de les sécher et de les empiler. Certains parents préfèrent utiliser laveuse et sécheuse un peu plus souvent plutôt que d'acheter chaque semaine un paquet de couches qui se retrouvera dans des sacs à ordures. Ils économisent ainsi: bien que le coût de départ soit plus élevé, ils auront déboursé, lorsque leur bébé sera propre, beaucoup moins que les parents qui auront opté pour les couches jetables. Vous aurez besoin d'une trentaine de couches réutilisables, de quelques surcouches et d'un seau pour faire tremper les couches sales. Procurez-vous aussi des doublures de couches que vous jetterez dans la toilette avec les selles de bébé.

Pourquoi ne pas combiner les deux systèmes? Les couches jetables pourront être utilisées au cours des premières semaines, alors que tout le monde est bien occupé. Ensuite, bébé portera des couches lavables à la maison, et des couches jetables pour ses sorties. Informez-vous à l'avance pour savoir si la garderie ou la gardienne chez qui vous ferez garder votre bébé accepte les couches réutilisables.

Il existe une troisième option: les services de nettoyage de couches. On vous fournit des couches de coton qui, une fois salies, sont échangées contre des propres. L'utilisation de ces services pourrait vous coûter moins cher que l'achat de couches jetables... et vous sauver du temps!

MOIS ____________

SEMAINE Nº ________

Lundi

12:00

18:00

Mardi

Mercredi

Jeudi

12:00

18:00

Vendredi

Samedi

Dimanche

Mon journal de la semaine

29. Sortir avec bébé

Sortir, même pour quelques minutes, devient tout à coup moins simple avec un bébé. Mais comme il a besoin d'air autant que vous, il importe de s'organiser pour que ce soit le plus simple possible.

D'abord, l'indispensable sac à couches. Vous n'avez pas nécessairement besoin d'un sac vendu comme tel; l'essentiel, c'est qu'il soit solide, durable, commode et assez grand. Vous y mettrez des couches, bien sûr, une toile de plastique que vous pourrez étendre n'importe où pour changer bébé, ses biberons au besoin, des vêtements de rechange, un pot de crème pour ses petites fesses, une couverture, des serviettes ou des tampons humides. Si votre sac est toujours bien rempli, partir vous semblera plus facile. Pour ne rien oublier, vous pourrez y placer une liste de ce que vous devez y ajouter à la dernière minute.

L'utilisation d'un siège d'auto adapté au poids et à la grandeur du bébé est obligatoire au Québec. Vous devez donc vous en procurer un même si vous ne circulerez en auto qu'occasionnellement avec votre enfant. Certains sièges d'auto pour nouveau-nés peuvent aussi servir de fauteuil inclinable dans la maison, ce qui en fait un bon achat. Lisez attentivement les instructions et apprenez à installer correctement le siège avant votre sortie de l'hôpital. Ce jour-là, mieux vaut éviter les complications.

Et à pied?

Pour promener bébé, rien de mieux qu'une poussette (en Europe, on appelle landau celles dans lesquelles on peut coucher le bébé). Optez pour un modèle large, de construction robuste, avec des roues orientables. Elle doit être munie de sangles de sécurité et d'un dossier inclinable. Vérifiez si vous pouvez y accrocher un sac dans lequel vous placerez les effets de bébé et vos achats. Plus tard, quand votre bébé se tiendra assis tout seul, vous pourrez mettre de côté cette poussette plus lourde et opter pour la poussette-parapluie (appelée poussette-canne en Europe).

Pour les courtes promenades ou pour les endroits difficiles d'accès avec la poussette, mamans et papas apprécieront le sac porte-bébé. Choisissez-le solide, offrant un bon maintien pour la tête du bébé. Vous pourrez aussi l'utiliser à la maison pour calmer un bébé grincheux tout en conservant l'usage de vos mains. Attention de ne pas en abuser.

MOIS ________________
SEMAINE Nº __________

Lundi

12:00

18:00

Mardi

Mercredi

Jeudi

12:00

18:00

Vendredi

Samedi

Dimanche

Mon journal de la semaine

30. Vivre à la maison

De nos jours, la plupart des femmes travaillent à l'extérieur au moment où elles deviennent enceintes de leur premier enfant. La perspective de se retrouver à la maison pour leur congé de maternité peut les combler d'aise ou d'angoisse. En effet, certaines femmes ont bien hâte de cesser de travailler alors que d'autres veulent à tout prix conserver leur emploi jusqu'à l'accouchement. Quand on a toujours étudié ou travaillé à l'extérieur, quand toutes les copines travaillent, il peut sembler très difficile de se retrouver tout à coup à la maison pendant une journée entière.

Sortir n'est pas très aisé au cours des dernières semaines de la grossesse, et le poids à traîner en décourage plus d'une. Après la naissance de bébé, c'est encore moins évident: les lieux publics disposent de très peu d'endroits adéquats pour changer ou nourrir un nouveau-né, et comme celui-ci passe son temps à boire et à remplir sa couche...

Alors comme vous vivrez davantage à la maison, pourquoi ne pas y penser tout de suite? Organiser son chez-soi revêt une importance primordiale. Faites le tour de la maison et rangez ou faites réparer tout ce qui pourrait vous déranger. Faites des provisions d'aliments non périssables. Procurez-vous les ustensiles de cuisine qui vous manquent. Changez les rideaux que vous n'aimez plus.

Enfin, pour éviter que les derniers jours avant la naissance semblent interminables, essayez de multiplier vos centres d'intérêt jusqu'à la fin de la grossesse, surtout si vous êtes en congé. Évitez toutefois de vous fatiguer, vous avez besoin de toute votre énergie!

MOIS ______________
SEMAINE Nº __________

Lundi

12:00

18:00

Mardi

Mercredi

Jeudi

12:00

18:00

Vendredi

Samedi

Dimanche

Mon journal de la semaine

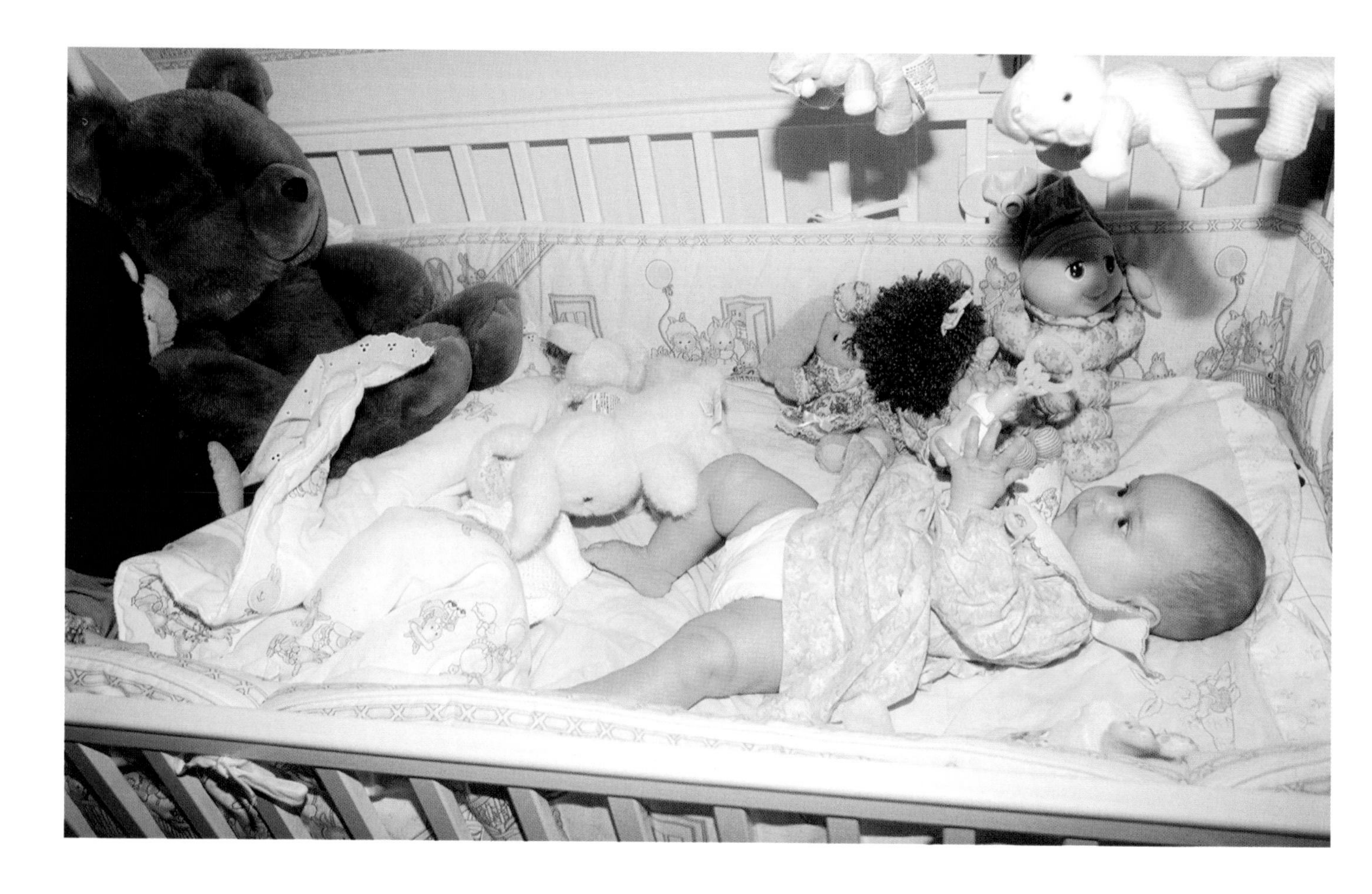

31. Un enfant chez soi

Dans quelques semaines, un enfant fera son entrée chez vous. Si c'est votre premier, cela bouleversera vos habitudes de vie. Pendant la grossesse, on imagine difficilement à quel point un être si minuscule peut prendre autant de place. On aménage une chambre sans penser que c'est toute la maison ou l'appartement que le bébé envahira.

Si, par exemple, la chambre du nouveau-né n'est pas située à l'étage où vous passez la journée, vous vous fatiguerez bien vite de monter et de descendre les escaliers. Vous préférerez peut-être faire dormir bébé près de vous durant la journée. La table à langer installée dans sa chambre vous paraîtra bien loin: pourquoi ne pas la placer près de la cuisine?

La multiplication des jouets

Qui dit enfant dit jeux. L'arrivée d'un bébé réveille les plaisirs du jeu au sein de toute la famille. Grands-papas et grands-mamans offrent un ourson au tout-petit, les oncles et les tantes y vont d'un hochet, les amis se mettent de la partie; vous vous retrouvez en quelques mois avec une montagne de jouets qui semblent se multiplier tout seuls. Pour éviter d'être envahis, pourquoi ne pas dénicher tout de suite un meuble bas dans lequel vous pourrez ranger facilement les jouets le soir, de façon à libérer le plancher. Vous l'apprécierez sûrement! Et n'hésitez surtout pas à faire des suggestions au moment des anniversaires: parents et amis ont parfois besoin d'être guidés dans leurs achats. Avec un petit coup de main, ils découvriront des cadeaux sûrs et adaptés à l'âge de votre enfant.

MOIS ____________

SEMAINE Nº ________

Lundi

12:00

18:00

Mardi

Mercredi

Jeudi

12:00

18:00

Vendredi

Samedi

Dimanche

Mon journal de la semaine

32. Attention au plus grand

Vous avez lu plus tôt (page 38 n° 7) une mise en garde au sujet des réactions probables de votre aîné, forcé tout à coup de partager l'affection de ses parents avec un nouveau-né. Voici des suggestions qui lui faciliteront la vie durant les premières semaines avec ce nouveau venu.

- Ménagez sa sensibilité: soyez attentive à ne pas trop vous extasier sur la beauté du bébé devant lui et demandez aux visiteurs de faire de même.
- Suggérez aux parents et amis d'offrir un cadeau aux deux enfants plutôt que seulement au bébé.
- Pour nourrir votre bébé, vous avez besoin de calme. Et puisque votre aîné risque d'en profiter pour manifester sa jalousie, faites-en une fête pour lui. Préparez à l'avance un jouet ou une boîte à surprises que vous lui donnerez chaque fois que le bébé boira. Ou bien racontez-lui une histoire.
- Organisez des activités extérieures pour votre aîné. Son papa peut l'emmener faire des courses ou jouer au parc. S'il se faisait garder avant la naissance, envoyez-le chez sa gardienne ou à la garderie de temps à autre. Il retrouvera son petit monde et verra que la vie continue malgré l'arrivée du nouveau bébé.
- Offrez-lui une poupée qui lui servira de bébé et dont il pourra s'occuper pour vous imiter.
- Profitez du sommeil de bébé pour vous occuper de l'aîné et pour lui exprimer votre amour. Ou bien confiez votre poupon à quelqu'un pour une heure et sortez avec votre plus grand.
- Faites-lui toucher et prendre le bébé. Dites-lui que vous avez besoin de son aide: pour aller chercher une couche, une serviette, etc.
- Parlez au bébé de votre enfant plus grand. Répétez-lui souvent combien il est chanceux d'avoir un grand frère ou une grande sœur.
- Soyez patiente. Peu importe l'intensité de la réaction de jalousie, elle s'atténuera avec le temps et votre aîné finira par adorer le bébé.

MOIS ________________
SEMAINE Nº _________

Lundi

12:00

18:00

Mardi

Mercredi

Jeudi

12:00

18:00

Vendredi

Samedi

Dimanche

Mon journal de la semaine

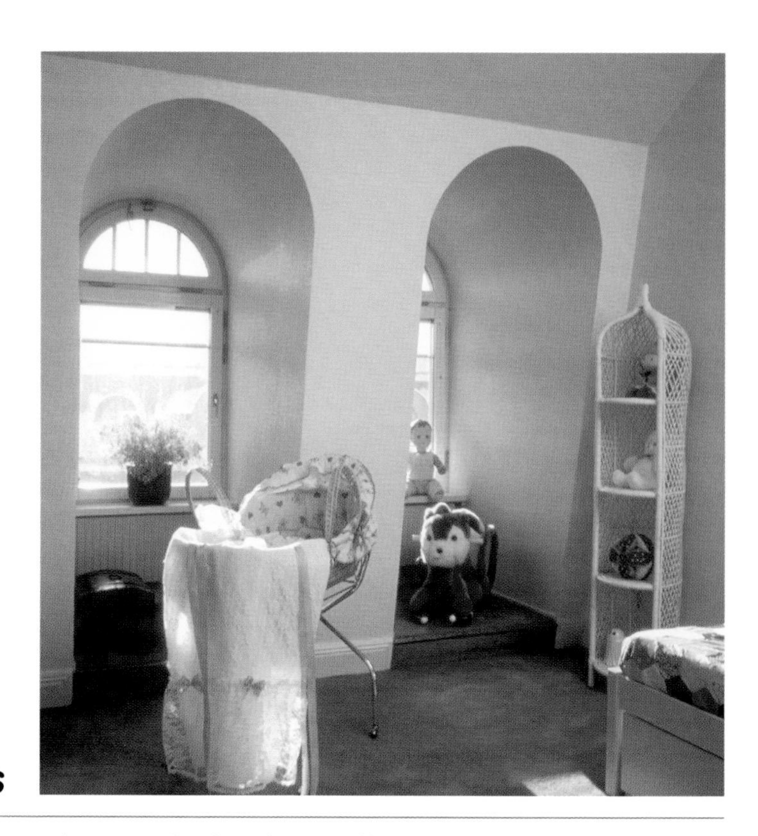

33. Préparer les premières semaines

Personne ne peut imaginer à quel point une nouvelle maman peut être occupée. Ce qu'on appelle un «congé» de maternité risque d'être la période la plus fatigante de votre vie.

Un bébé dort 20 heures par jour, vous dites-vous, c'est écrit dans les livres. Parfois, oui. Mais certains jours, ils dorment beaucoup moins, et encore cinq minutes à la fois, avant de se réveiller et de réclamer à boire à grands cris. Au début, vous aurez à peine le temps de manger et de faire votre toilette. Quant à dormir le jour pour récupérer le sommeil perdu la nuit, n'y comptez pas trop: les bébés ont la manie de s'éveiller au moment même où vous vous glissez entre les draps. Et si vous avez un autre enfant, il faudra déployer des trésors d'ingéniosité pour réussir à les faire dormir en même temps! Si vous croyez pouvoir vous charger des courses et du ménage tout en surveillant le bébé, ou si vous vous imaginez accueillant votre compagnon avec le sourire à son retour, prête à déguster avec lui le repas que vous lui aurez mijoté pendant que votre rejeton gazouillait gentiment, vous allez avoir des surprises!

Déléguez

Au début, la nouvelle maman doit récupérer des forces après avoir traversé les derniers mois de la grossesse et l'accouchement. Vous aurez donc besoin d'aide. Si une personne compatissante peut venir vous donner un coup de main tous les jours, ou même jour et nuit, sautez sur l'occasion. Faites attention toutefois de vous ménager des instants d'intimité avec votre conjoint. Attention aussi de ne pas confier entièrement votre bébé à la personne qui vous aide; demandez-lui plutôt de se charger des courses, du ménage et des repas. Autrement, vous vous retrouverez complètement démunie à son départ.

Si personne ne peut venir vous aider, il vaut mieux vous organiser à l'avance. Préparez des repas pour les jours difficiles. Mettez de l'ordre dans la maison: une fois bébé arrivé, vous n'aurez pas le temps de faire le grand ménage. Pensez à déléguer les tâches que vous pouvez laisser à quelqu'un d'autre. Si vous avez d'autres enfants, trouvez une personne à qui vous pourrez les confier quelques heures par jour pour vous reposer. Faites des courses de façon à ne manquer de rien pendant les premières semaines.

Et pourquoi ne pas suggérer aux amis qui ne savent pas quoi offrir au bébé de vous apporter des plats cuisinés?

MOIS ____________________
SEMAINE Nº ____________

Lundi

12:00

18:00

Mardi

Mercredi

Jeudi

12:00

18:00

Vendredi

Samedi

Dimanche

Mon journal de la semaine

34. Allaiter avec bonheur

Si vous avez choisi l'allaitement maternel, votre bébé saura exactement quoi faire dès sa naissance; pas vous. Même si allaiter un nouveau-né est un geste parfaitement naturel, un peu de technique vous aidera énormément. Vous trouverez ici quelques renseignements de base, mais il serait bon d'en parler avec une femme qui a allaité son bébé récemment. Si vous n'en connaissez aucune, il existe des groupes d'entraide pour les mères qui allaitent; le plus connu est la Ligue La Leche, organisme international voué à la promotion de l'allaitement maternel.

Les premières semaines d'allaitement sont plus exigeantes parce que le bébé réclame le sein souvent et à des heures irrégulières, et aussi parce que la mère doit surmonter sa fatigue. Par la suite, allaiter devient une occasion de se reposer et de câliner son bébé. Le bébé qui grandit boit plus vite et peut se trouver satisfait après quinze minutes de tétée alors qu'il buvait pendant quarante minutes à l'âge d'un mois.

Les règles d'or de l'allaitement

- Avoir confiance. Votre lait est le meilleur qui soit pour votre bébé: il le fera grandir et grossir. Ne laissez pas votre entourage vous décourager; certaines personnes mettent en doute la qualité ou la quantité de lait que produit la mère dès que son bébé pleure. Les bébés nourris au biberon pleurent eux aussi.
- Bénéficier de l'appui de son conjoint. Les femmes qui abandonnent l'allaitement plus tôt que prévu manquaient souvent de soutien. Le rôle du papa est double: encourager sa compagne et faire en sorte qu'elle se repose le plus possible. Pendant que la mère se consacre à l'allaitement, son conjoint peut s'occuper des tâches ménagères et des courses. En préparant des repas nutritifs, il nourrit à la fois la mère et l'enfant. Enfin, dans les moments difficiles, il redonne confiance à sa conjointe.
- Allaiter à la demande. Mettez votre bébé au sein dès qu'il manifeste sa faim. Plus il tétera, plus vous aurez de lait: vos seins produisent le lait en fonction de ses besoins.
- Ne pas se soucier de la quantité de lait que votre bébé ingurgite. Il boit ce dont il a besoin à ce moment-là et abandonne le sein lorsqu'il n'a plus faim.
- S'installer confortablement. Déterminez avant l'accouchement où vous allaiterez votre bébé. Vous passerez une grande partie de votre temps à le nourrir au cours des premières semaines. Il vous faut donc un bon fauteuil ou une bonne chaise munie d'appuie-bras. Vous aimerez avoir à portée de la main quelque chose à boire, le téléphone, un livre, des mouchoirs. Vous pourrez installer le bébé sur un coussin posé sur vos jambes: il sera plus facile à soutenir ainsi. Certaines femmes adorent allaiter couchées sur le côté, surtout la nuit.
- Offrir les deux seins à chaque tétée. Toujours commencer par celui avec lequel s'est terminée la tétée précédente.
- Bien manger et boire beaucoup.
- Se reposer le plus possible et éviter les stimulations fatigantes ou stressantes.

MOIS ____________________
SEMAINE Nº ____________

Lundi

12:00

18:00

Mardi

Mercredi

Jeudi

12:00

18:00

Vendredi

Samedi

Dimanche

Mon journal de la semaine

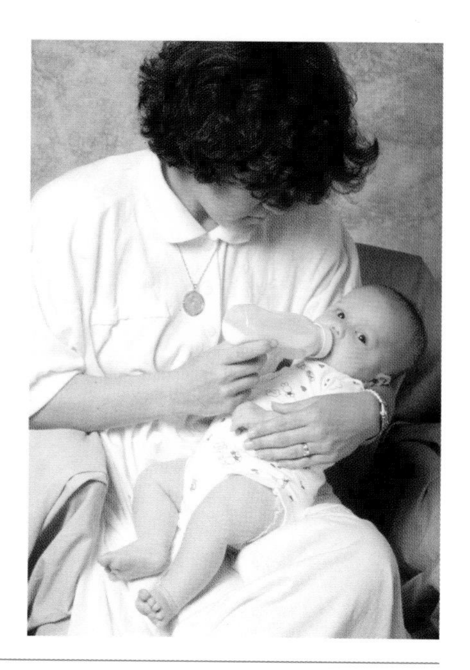

35. Nourrir au biberon

Si vous avez décidé de nourrir votre bébé au biberon, il importe de bien vous préparer avant sa naissance. Les nouveau-nés qui ne sont pas allaités sont nourris de lait maternisé conçu exprès pour eux. Assurez-vous de vous en procurer en quantité suffisante avant l'arrivée du bébé.

L'équipement de base nécessaire est le suivant: de huit à dix biberons, tétines et protège-tétines; une brosse à biberons et tétines. Veillez à remplacer régulièrement les tétines abîmées. Il existe des tétines de grosseurs variées et avec des ouvertures différentes; choisissez celles qui sont prévues pour votre bébé selon son âge.

La chasse aux microbes

Le lait que vous donnerez à votre enfant est exempt de tout microbe, mais il est très sensible à ceux qu'on trouve par milliers dans l'environnement. Il est donc essentiel d'entourer toute la manipulation des biberons de règles de propreté très strictes. Avant de préparer les biberons, lavez soigneusement vos mains et tous les objets que vous utiliserez avec de l'eau chaude savonneuse. Les premiers mois, il est préférable de stériliser biberons et tétines.

Vous trouverez sans doute plus commode de préparer en même temps tous les biberons pour une journée. Pour mélanger la préparation de lait commerciale avec de l'eau, suivez attentivement les instructions du fabricant. Utilisez de l'eau embouteillée non gazeuse ou de l'eau du robinet bouillie pendant cinq minutes et refroidie.

Au moment de servir le biberon, réchauffez-le dans l'eau chaude. Le lait doit être à la température du corps; assurez-vous-en en faisant tomber quelques gouttes sur l'intérieur de votre poignet.

Installez-vous confortablement sur un siège avec des appuie-bras. Couchez votre bébé sur un oreiller posé sur vos jambes et appuyez-lui la tête au creux de votre bras. Veillez à ce que sa tête demeure plus haute que le reste de son corps. Placez le biberon dans la bouche du bébé en l'orientant légèrement vers le palais, de façon à libérer son nez. Veillez à ce qu'il n'y ait pas d'air dans la tétine.

Quand votre bébé a bu la moitié du biberon, c'est le moment de faire la pause-rot. Appuyez-le sur votre épaule et tapotez-lui le dos quelques minutes jusqu'à ce qu'il ait fait un rot. Installez-le ensuite du côté opposé pour lui donner le reste du biberon.

Votre bébé est le seul à savoir quand il a faim et quand il n'a plus faim. Son appétit varie d'un jour à l'autre, du matin au soir, et il est différent de l'appétit d'un autre bébé. Quand il n'a plus soif, jetez le lait qui reste dans le biberon.

L'heure du biberon est un moment privilégié pour votre bébé. Ne le laissez pas boire seul: il a besoin d'un contact humain autant que de lait. C'est au creux de vos bras qu'il recueille la force qui lui permettra de s'épanouir.

MOIS ______________

SEMAINE Nº ________

Lundi

12:00

18:00

Mardi

Mercredi

Jeudi

12:00

18:00

Vendredi

Samedi

Dimanche

Mon journal de la semaine

36. Un médecin juste pour bébé

Dès sa naissance, votre bébé sera examiné par un médecin. Le pédiatre que vous aurez choisi le reverra à plusieurs reprises au cours de sa première année de vie, et régulièrement par la suite, supervisant le calendrier de ses vaccinations. Ces visites médicales sont importantes pour votre enfant, même s'il semble en bonne santé.

Vous apprécierez d'avoir choisi votre pédiatre avec soin. Bien sûr, son bureau doit être à proximité de votre domicile, mais plusieurs autres critères entrent en jeu. Vous devez avoir tout à fait confiance en lui: c'est de la vie de votre bébé dont il est question.

Tous les pédiatres n'ont pas la même approche. Certains s'intéressent exclusivement à la santé physique de l'enfant, d'autres vous interrogeront sur ses activités à la maison, sur l'endroit où il se fait garder, sur ses intérêts. Essayez de trouver le médecin dont les idées et les conceptions se rapprochent le plus des vôtres.

Parlez-en autour de vous. Consultez des parents de jeunes enfants; ils pourront vous aider dans votre choix.

Le pédiatre, c'est un peu comme votre entraîneur pour les premières années de votre enfant: il vous soutiendra, vous encouragera et vous guidera. Entre les visites, à vous de jouer: vous connaîtrez votre bébé mieux que personne. Faites-vous confiance!

MOIS ______________
SEMAINE Nº __________

Lundi

12:00

18:00

Mardi

Mercredi

Jeudi

12:00

18:00

Vendredi

Samedi

Dimanche

Mon journal de la semaine

37. Confier son trésor

Même les amoureux les plus passionnés ont besoin de s'éloigner l'un de l'autre de temps en temps. Il en sera de même pour votre bébé et vous: vous vous adorerez, mais vous gagnerez tous les deux à apprendre à respirer l'un sans l'autre!

À qui confier votre trésor? En premier lieu à son père. Parfois, c'est la meilleure façon d'encourager le papa à s'occuper de son enfant. Seul avec le bébé, il ose enfin le prendre et le serrer dans ses bras, le changer, le laver sans craindre de ne pas faire les choses comme vous souhaiteriez qu'il les fasse.

Vous laisserez aussi votre bébé aux soins de gardiens ou de gardiennes, que ce soit le jour ou le soir. Trouvez quelqu'un en qui vous aurez entièrement confiance. Si vous devez faire garder votre enfant pour de longues périodes, si vous travaillez par exemple, choisissez une personne qui a les mêmes goûts, les mêmes valeurs et les mêmes opinions que vous en ce qui concerne l'éducation des enfants.

La personne qui s'occupe de votre bébé doit être équilibrée, calme, et savoir se débrouiller en situation de stress.

Laissez au gardien le plus de renseignements possible sur votre emploi du temps pendant votre absence. S'il est impossible de vous joindre au téléphone, appelez de temps à autre pour vérifier si tout va bien. Indiquez près du téléphone le numéro d'une personne de confiance disponible à ce moment-là. Notez aussi tous les numéros de téléphone d'urgence qui peuvent être utiles: hôpitaux, police, pompiers, centre antipoison, ambulances. Il vaut mieux partir l'esprit en paix.

Expliquez en détail au gardien les habitudes de votre poupon. Ne tenez rien pour acquis: si votre bébé ne s'endort que sur le ventre et que vous oubliez de le préciser, la soirée pourrait se révéler bien longue pour tout le monde!

MOIS ______________
SEMAINE Nº __________

Lundi

12:00

18:00

Mardi

Mercredi

Jeudi

12:00

18:00

Vendredi

Samedi

Dimanche

Mon journal de la semaine

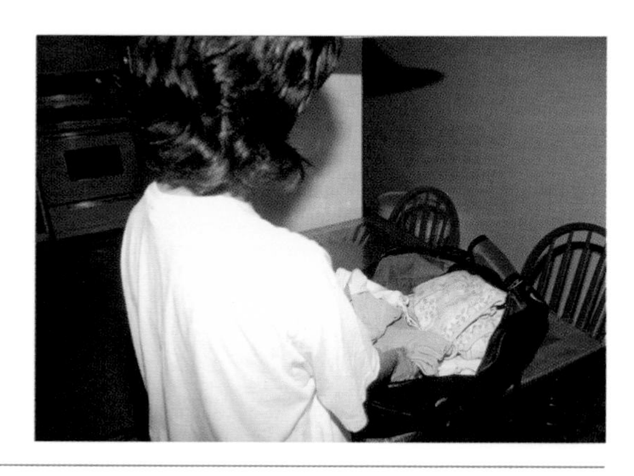

38. Prête pour le grand départ

Dès le début du neuvième mois de grossesse, vous pouvez préparer vos bagages pour le séjour à l'hôpital ou à la maternité. Pour ne rien oublier dans l'énervement du départ, dressez une liste des objets que vous emporterez à la dernière minute. Voici ce que pourrait contenir votre valise.

Pour l'accouchement

- de l'huile d'amande douce pour les massages;
- des chaussettes pour vous réchauffer les pieds;
- une montre indiquant les secondes, du papier et un stylo pour noter la fréquence des contractions;
- un objet qui vous aidera à vous concentrer et des cassettes de musique.

Pour votre séjour

- 2 ou 3 chemises de nuit qui s'ouvrent à l'avant si vous allaitez (les pyjamas peuvent s'avérer inconfortables: vous ne retrouverez pas votre taille d'avant la grossesse le jour de l'accouchement!) et 2 soutiens-gorge (d'allaitement au besoin);
- une robe de chambre;
- 3 ou 4 douzaines de serviettes sanitaires (serviettes périodiques) superabsorbantes et longues;
- des sous-vêtements en grand nombre;
- des pantoufles confortables;
- des compresses d'allaitement au besoin (tampons de gaze ou de coton qu'on place dans le soutien-gorge au cas où du lait coulerait entre les tétées. On en trouve qu'on jette après usage et d'autres qu'on peut laver. Vous les utiliserez probablement pendant les premières semaines d'allaitement);
- des vêtements pour le retour à la maison (vous serez à l'aise dans une tenue que vous portiez vers le sixième mois de grossesse; prévoyez quelque chose d'assez ample au niveau de la poitrine);
- vos objets de toilette;
- le numéro de téléphone des parents et amis (avec de l'argent pour téléphoner au besoin);
- une photo pour décorer votre table de chevet et un baladeur;
- un peu d'argent et les papiers officiels et les cartes dont vous aurez besoin;
- des mouchoirs en papier;
- un bon livre et votre agenda;
- un petit cadeau pour vos autres enfants s'ils viennent vous visiter.

Pour bébé

- des couches si elles ne sont pas fournies (renseignez-vous pour savoir si vous devez apporter autre chose);
- des vêtements faciles à enfiler pour ramener bébé à la maison (choisissez-les assez amples puisque vous ne savez pas combien il pèsera);
- des vêtements chauds au besoin;
- un bonnet, une couverture et une sucette si vous le désirez.

MOIS ______________
SEMAINE N° __________

Lundi

12:00

18:00

Mardi

Mercredi

Jeudi

12:00

18:00

Vendredi

Samedi

Dimanche

Mon journal de la semaine

39. Quand partir

Vous vous demandez sans doute comment vous saurez que le grand jour est arrivé. Voici les signes qui vous indiqueront que le travail est commencé.

- Perte du bouchon muqueux, une masse gélatineuse qui, pendant la grossesse, ferme l'entrée du col de l'utérus. Il ressemble à du blanc d'œuf coagulé et peut être teinté de sang. Vous pouvez le perdre plusieurs jours avant l'accouchement.
- Selles fréquentes. Votre organisme se prépare à expulser le bébé.
- Contractions de l'utérus qui deviennent plus longues, plus intenses et plus rapprochées, et qui ne diminuent pas, même si vous vous reposez. Les premières contractions sont souvent semblables aux douleurs des menstruations: votre ventre se serre, vous avez mal dans le bas du dos, vous ressentez un inconfort général.
- Rupture des membranes ou de la poche des eaux, qui est indolore. Lorsqu'elle survient en premier, elle est habituellement suivie des contractions, immédiatement ou quelques heures plus tard. Vous sentirez un liquide chaud s'écouler lentement ou avec force de votre vagin. Cela signifie que votre bébé est dorénavant exposé aux infections. Ne prenez pas de bain, n'insérez rien dans votre vagin et restez étendue le plus possible. Rendez-vous sans tarder à votre lieu d'accouchement.

Quand devez-vous partir? En général, on vous conseillera de vous rendre là où vous devez accoucher lorsque les contractions reviendront toutes les cinq minutes depuis une heure ou lorsqu'elles seront assez fortes pour vous empêcher de faire quoi que ce soit d'autre. Bien sûr, vous devrez partir plus tôt si vous habitez loin de votre lieu d'accouchement. Ne vous précipitez pas à l'hôpital. Vous êtes sans doute plus confortable chez vous. En cas de doute, n'hésitez pas à téléphoner à votre médecin.

MOIS ____________
SEMAINE Nº ________

Lundi

12:00

18:00

Mardi

Mercredi

Jeudi

12:00

18:00

Vendredi

Samedi

Dimanche

Mon journal de la semaine

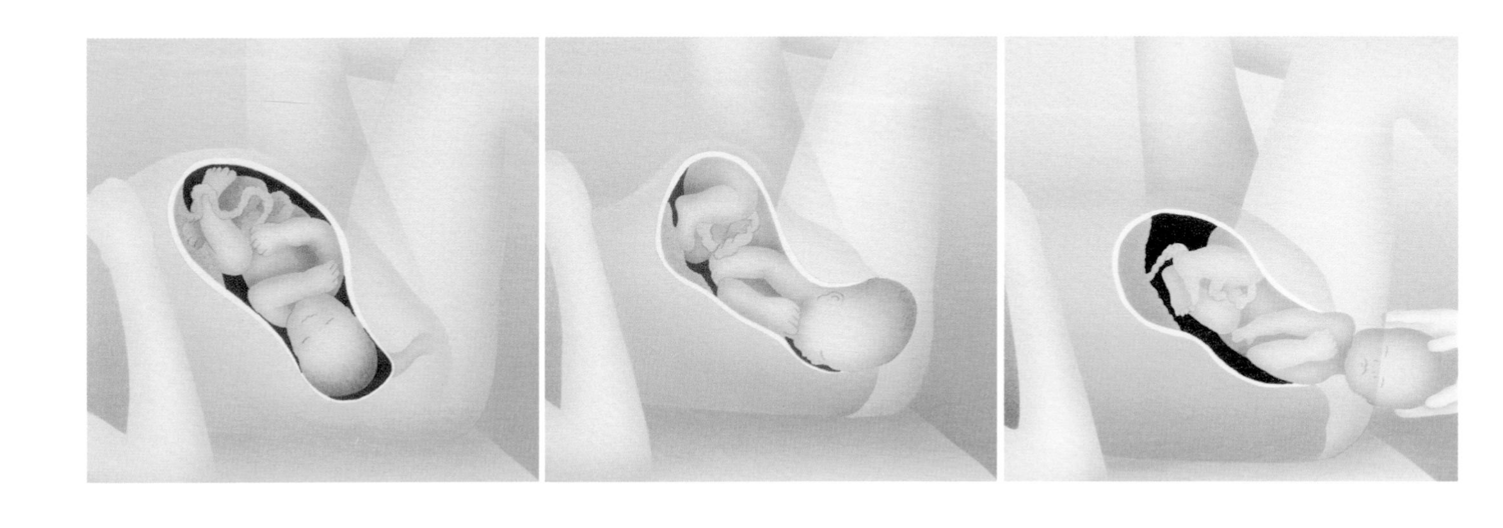

40. Les trois périodes de l'accouchement

On divise l'accouchement en trois périodes: la dilatation, l'expulsion du bébé et l'expulsion du placenta.

La dilatation

Pour permettre au bébé de sortir, le col de l'utérus se dilate progressivement jusqu'à ce qu'il atteigne une ouverture de dix centimètres, grâce aux contractions de l'utérus. Au début, les contractions sont espacées et plutôt faibles. À mesure que le travail avance, elles deviennent plus fortes, plus fréquentes et durent plus longtemps. Une respiration profonde et calme vous aidera.

La fin de cette période représente l'étape la plus difficile pour la plupart des femmes: elles ont l'impression de ne plus pouvoir rien supporter et que tout va mal. Le soutien et l'encouragement de leur compagnon s'avèrent essentiels à ce moment-là. Cette phase de transition fait le pont avec la période suivante: l'expulsion du bébé.

L'expulsion du bébé

Lorsque le col de l'utérus est assez ouvert, l'utérus se contracte pour pousser le bébé à l'extérieur. La femme ressent alors une forte envie de pousser: au rythme suggéré par la personne qui l'assiste, elle va aider l'utérus à faire son travail. Cette période peut être longue et difficile pour certaines femmes; pour d'autres, elle constitue un moment exaltant: elles sont soulagées des douleurs de la phase de transition et perçoivent l'imminence de l'arrivée du bébé.

L'expulsion du placenta

Après la naissance du nouveau-né, l'utérus se contracte pour faire sortir le placenta. Parfois cette expulsion passe inaperçue. La personne qui vous aide à accoucher vous demandera peut-être de pousser.

Tous les accouchements se déroulent différemment. Pour faire du vôtre une expérience positive, préparez-vous de votre mieux, non seulement en faisant des exercices mais en vous informant sur le déroulement de l'accouchement et sur les réactions physiques et psychologiques qui seront peut-être les vôtres.

MOIS ________________
SEMAINE Nº __________

Lundi

12:00

18:00

Mardi

Mercredi

Jeudi

12:00

18:00

Vendredi

Samedi

Dimanche

Mon journal de la semaine

MOIS ____________

SEMAINE Nº ________

Lundi

12:00

18:00

Mardi

Mercredi

Jeudi

12:00

18:00

Vendredi

Samedi

Dimanche

Mon journal de la semaine

MOIS ______________
SEMAINE Nº ________

Lundi

12:00

18:00

Mardi

Mercredi

Jeudi

12:00

18:00

Vendredi

Samedi

Dimanche

Mon journal de la semaine

Liste des personnes à qui je veux annoncer la naissance de bébé

Nom	Nº de téléphone

Nom	Nº de téléphone

Ma première photo

Je m'appelle ________________________________

Je suis né(e) le ______________________________

À ____ heures____ minutes

À (lieu) ____________________________________

____

À ma naissance

À ma naissance

Je pèse ________ kilogrammes

Je mesure ________ centimètres

Mes yeux sont ________

Mes cheveux sont ________

Mon signe astrologique est ________

Prennent soin de moi

Ma maman ________

Mon papa ________

Mes frères ________

Mes sœurs ________

Mes grands-parents ________

Ma marraine ________

Mon parrain ________

Mes amis ________

Ma famille

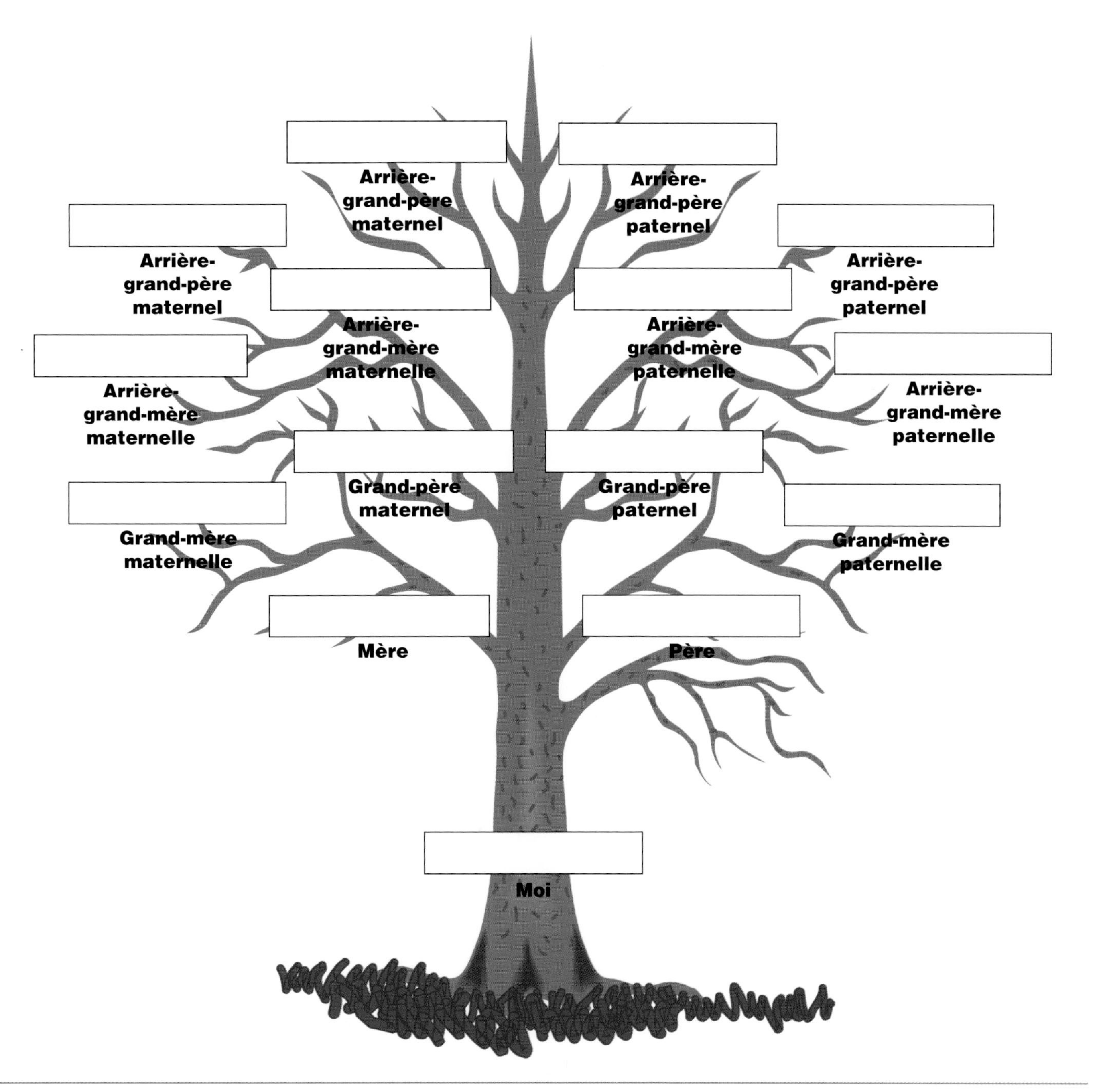
Arrière-
grand-père
maternel
Arrière-
grand-père
paternel
Arrière-
grand-père
maternel
Arrière-
grand-père
paternel
Arrière-
grand-mère
maternelle
Arrière-
grand-mère
paternelle
Arrière-
grand-mère
maternelle
Arrière-
grand-mère
paternelle
Grand-père
maternel
Grand-père
paternel
Grand-mère
maternelle
Grand-mère
paternelle
Mère
Père
Moi

La page des visiteurs

Les cadeaux reçus

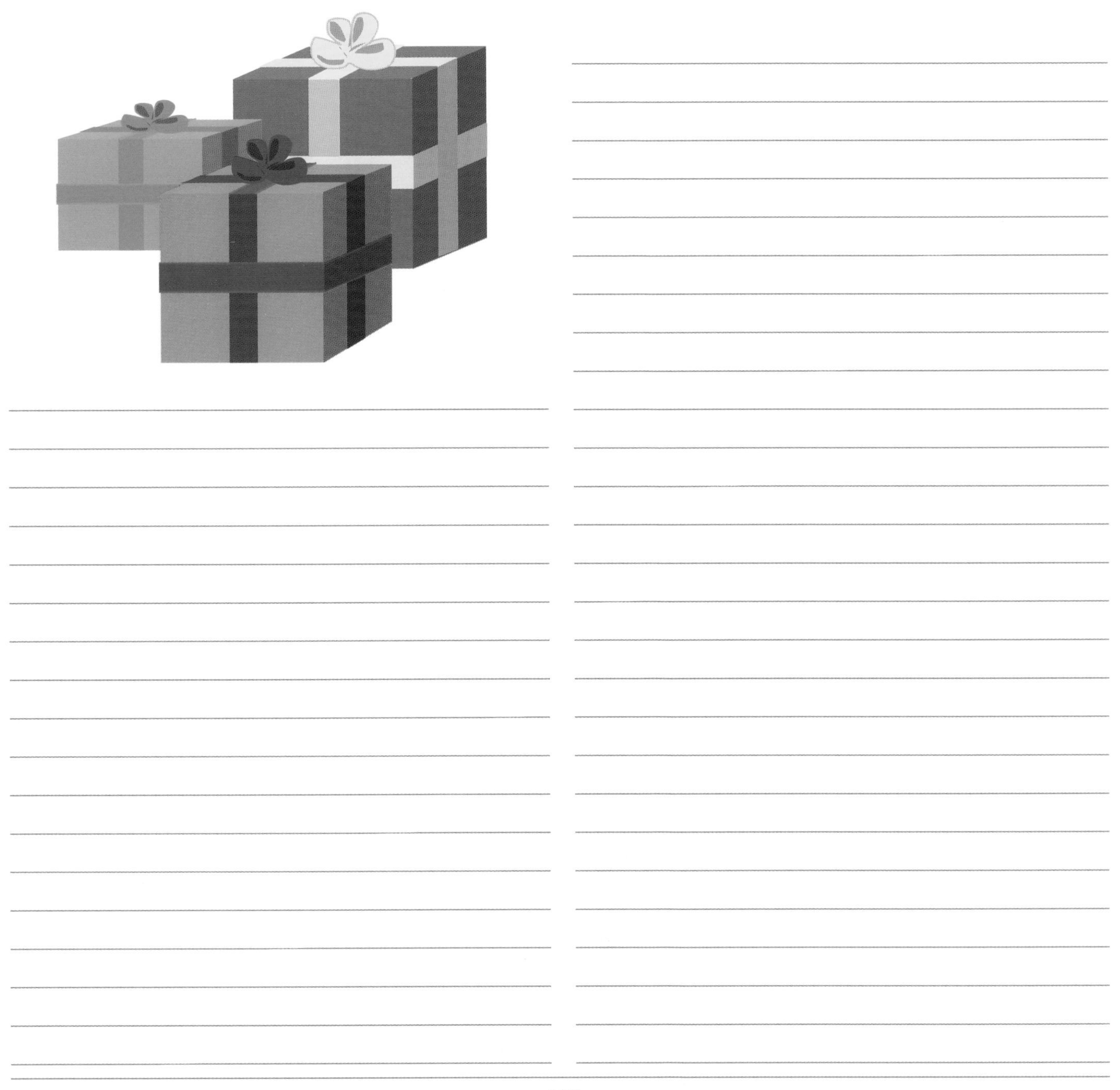

Un commentaire de...

Maman

Grand-maman

Grand-maman

Marraine

Papa

Grand-papa

Grand-papa

Parrain

Les premières minutes

Il est là, sur votre ventre, dans vos bras, et les larmes vous montent aux yeux. Une fille, un garçon, ça n'a plus aucune importance, il est bien vivant, et c'est incroyable. Un vrai bébé, tout surpris de se retrouver dans un monde si différent de l'univers utérin.

Au moment où le bébé sort du ventre de sa mère, tout un processus se met en branle pour permettre aux jeunes poumons de commencer leur travail. Le nouveau-né devient indépendant du corps de sa mère; cette autonomie est acquise au moment où l'on coupe le cordon ombilical.

Les parents peuvent enfin savourer les premières minutes de vie de leur enfant. Autrefois, le personnel médical accaparait le bébé, tandis que de nos jours, on le pose sur le ventre de sa mère dès sa naissance.

La femme qui vient d'accoucher est instantanément récompensée de ses efforts par ce petit paquet tout chaud qui atterrit sur son ventre. Fatigué, mais souvent bien éveillé, le poupon la gratifie généralement d'un regard curieux. Le père voit sous ses yeux se réaliser son rêve: sa compagne tient dans ses bras son bébé, leur enfant.

Ces moments intenses apportent souvent un immense soulagement aux parents: en apercevant la petite créature dont ils parlent depuis des mois, toutes leurs peurs s'envolent. Ne restent plus que la fierté et l'envie d'annoncer sa naissance au monde entier.

C'est lors de cette première étreinte entre la mère et son enfant qu'il convient d'offrir le sein au bébé. Son réflexe de succion étant très fort, il tétera probablement avec vigueur. Profitez-en pour le cajoler; il a traversé toute une épreuve lui aussi!

Photo de mon bébé à 1 mois

Le premier mois de bébé

L'aventure!

Le premier mois avec un bébé, c'est l'aventure. Ces petites créatures adorables vivent en effet selon un horaire bien à elles... et tout à fait imprévisible! Leur vie semble centrée exclusivement sur la nourriture, mais elles ont autant besoin d'amour que de lait. Les bébés veulent être serrés, portés, bercés, promenés. Ils cherchent à retrouver la chaleur et le bien-être qu'ils ont connus dans le ventre de leur mère, confort plus familier que le lit froid et dur dans lequel nous espérons les voir dormir.

Difficile, donc, le premier mois, mais surtout extraordinaire. Vous avez dans les bras un être humain minuscule qui va se développer à une vitesse fulgurante au cours des prochaines semaines. Ses cinq sens fonctionnent déjà. Votre bébé vous entendait avant de naître: il reconnaît votre voix. À trois jours, il reconnaît aussi votre odeur. Il peut remarquer les modifications du goût du lait maternel selon ce que vous avez mangé. Son sens du toucher aussi est développé, et il est très sensible à la façon dont on le prend. Mais le plus exaltant, c'est qu'il vous voit. Quand vous le prenez dans vos bras pour le nourrir, il voit clairement votre visage. Vous plongez dans les yeux l'un de l'autre et créez ainsi une relation intime qui se maintiendra durant des années et des années.

Des hauts et des bas

Entre les visites des parents et amis, les nuits entrecoupées, les repas pris à la sauvette entre deux tétées, les heures passées à nourrir votre bébé, à le bercer, à le changer, à le laver, à le promener, à l'endormir et à le rendormir, vous serez sûrement débordée... et votre conjoint aussi. Ce premier mois constitue une étape difficile pour le couple. Vous le vouliez, ce bébé, vous en avez rêvé, vous l'adorez... mais vous avez envie de pleurer dix fois par jour. Il crie une partie de la nuit; il dort comme un loir pendant que la maison est pleine d'invités qui ne demandent qu'à le bercer et s'éveille aussitôt que sa mère se retrouve seule et espère dormir un peu; il a faim exactement au moment où vous vous mettez à table, peu importe l'heure à laquelle vous fixez le repas. Quand il s'endort dans vos bras, tout chaud, s'abandonnant totalement, vous planez plus haut que les nuages. Quand il s'éveille cinq minutes après avoir été déposé doucement dans son berceau et reste inconsolable, vous voudriez vous sauver le plus loin possible.

Que faire? D'abord, savoir que cette situation est normale et temporaire. En quelques semaines vous apprendrez à connaître votre enfant pendant que, de son côté, il apprivoisera son nouvel univers. Il s'intéressera bien vite à autre chose qu'à être nourri. Demandez de l'aide; amis, voisins et parents ne savent pas à quel point ils peuvent être utiles. Sortez tous les jours: quelques minutes à marcher dehors sans votre bébé peuvent changer votre humeur du tout au tout et vous redonner de l'énergie. Et parlez, racontez vos journées et vos nuits... rien de tel pour retrouver le sens de l'humour.

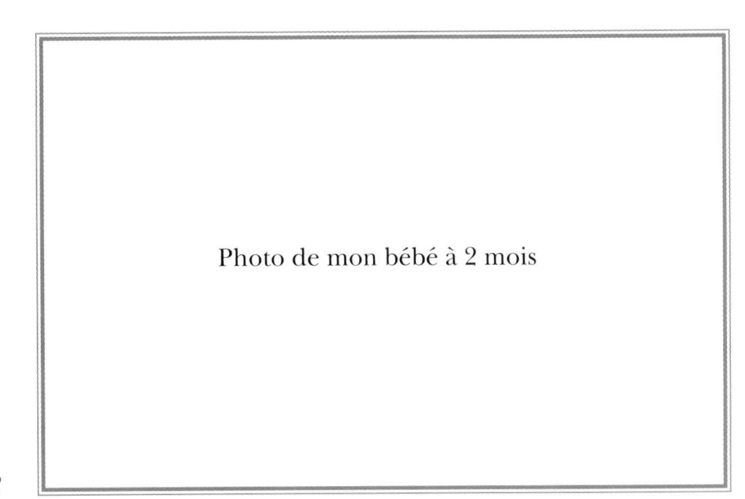
Photo de mon bébé à 2 mois

Le deuxième mois de bébé

Le plus beau sourire du monde

On le nourrit parfaitement, on le berce, on le lave, on le change, on le promène pendant des heures... puis un jour il nous sourit. Tout est oublié, plus rien n'existe que ce sourire qu'il nous a adressé. C'est au cours de ce deuxième mois que votre bébé commencera à vous sourire. Ses yeux dans les vôtres, il vous remerciera et vous dira sa joie de vivre.

Il remplit toujours vos journées, mais il adopte un horaire plus constant. Il arrête de pleurer quand il sait qu'il va boire: il a appris à prévoir ce qui va se passer. C'est un progrès remarquable. Il dort sans doute un peu plus longtemps la nuit.

Quand il est éveillé, votre bébé émet de petits sons qu'il prend bien plaisir à entendre. Il examine tout ce qui l'entoure et reste tranquillement dans son fauteuil pendant quelques minutes avant de se fatiguer. Il commence doucement à prendre sa place dans la vie quotidienne de la famille.

Encore du repos

Six semaines après l'accouchement, vous rendrez visite à votre médecin. Celui-ci examinera vos organes génitaux, vos seins, votre cicatrice si vous en avez une; il palpera votre ventre pour vérifier si votre utérus a bien repris sa place. Si vous ne l'avez pas déjà fait, c'est le moment de discuter de contraception avec lui. On conseillait autrefois d'attendre six semaines après l'accouchement avant de reprendre les relations sexuelles. De nos jours, les médecins suggèrent plutôt d'y aller selon les désirs de chacun. Cependant, à cause de la fatigue et des transformations que subit son corps, la femme peut ne ressentir que très peu d'envie sexuelle pendant plusieurs mois. Son conjoint devra se montrer compréhensif et patient.

Même après les premières semaines, vous avez besoin de repos. Renoncez à vous consacrer à autre chose qu'à votre enfant et à vous-même pour quelques semaines encore.

La nouvelle famille

Avant la naissance d'un premier bébé, il y avait un homme et une femme. À présent, ils sont trois. Le nouveau papa et la nouvelle maman apprivoisent le bébé séparément et ensemble. Ils apprennent ainsi à se connaître dans leur nouveau rôle. Après les bouleversements du début, il faut ménager une place à chacun, avec ses sentiments, ses impulsions et son goût de vivre. Pas facile! L'éternel triangle, ne serait-ce pas papa, maman et ce petit être adoré qui a tout changé?

Auparavant, on faisait grand cas de l'«instinct maternel». Mais être enceinte et accoucher n'a jamais appris à aucune femme à calmer un bébé qui hurle ou à l'habiller sans lui faire mal. Elle apprend jour après jour. Si le père participe pleinement aux soins à donner au nourrisson dès les premiers jours, il verra lui aussi se développer son «instinct paternel». Cet engagement profond enrichit la vie de couple. L'enfant attaché à ses deux parents est libre d'aller vers l'un ou l'autre.

Photo de mon bébé à 3 mois

Le troisième mois de bébé

Il rit!

Votre bébé a déjà changé énormément; il a grandi et beaucoup grossi. Si vous apercevez un nouveau-né ces jours-ci, vous le trouverez minuscule et aurez de la difficulté à croire que le vôtre était si petit quelques semaines auparavant. Ses muscles se sont développés. Il tourne la tête pour suivre quelqu'un du regard ou pour découvrir d'où vient un bruit qui l'intrigue. Peut-être se retourne-t-il déjà dans son lit. Sur le ventre, il redresse la tête et les épaules.

À cet âge, le bébé passe de longues minutes à examiner ses mains qu'il promène devant ses yeux, l'air ahuri: «C'est à moi ça?» Il commence à tendre la main vers ce qui l'entoure, mais n'arrive pas encore à agripper ni à garder le hochet qu'on lui tend.

Il dort moins longtemps et pleure moins quand il est éveillé. Il aime que ça bouge autour de lui; gardez-le près de vous. Dans un fauteuil incliné, il pourra vous observer à loisir. Parfois, il restera même silencieux pendant tout votre repas! Il adore qu'on lui parle, qu'on lui fasse entendre de la musique, qu'on chante pour lui. Il apprécie la présence d'autres enfants; il cherche ses frères et sœurs quand ceux-ci sont absents. À mesure qu'il réussira à se déplacer par lui-même et à s'occuper tout seul au cours des prochains mois, il pleurera de moins en moins.

Un bébé de cet âge a besoin de sécurité; il est rassuré par la routine et peut exprimer bruyamment son désaccord si vous modifiez ses petites habitudes. En général, les bébés pleurent davantage quand leurs parents sont en visite ou quand des amis viennent à la maison. Façon de rappeler leur présence!

Déjà, le bébé de trois mois rit. Il manifeste sa gaieté, surtout en réaction aux jeux de ses frères et sœurs.

Retrouver son tonus

Vous retrouvez peu à peu votre énergie? Vous avez envie de faire de l'exercice pendant les quelques moments de liberté que vous laisse votre cher poupon? C'est le moment, mais allez-y doucement. Ne vous fatiguez pas trop.

Surtout, ne suivez pas un régime amaigrissant si vous continuez d'allaiter; cela pourrait être dangereux pour vous et pour votre bébé. Si vous en avez assez des kilos en trop et que vous êtes tentée de sevrer votre bébé pour retrouver au plus vite votre corps «d'avant», pesez bien le pour et le contre. À mesure que le bébé grandit, l'allaitement devient de moins en moins une façon de le nourrir et de plus en plus une fête pour la mère et son enfant. Une fois votre silhouette de jeune fille revenue, peut-être regretterez-vous cette relation privilégiée.

Prénoms

Filles		Garçons	
Alice	Laure	Adrien	Lucas
Andréanne	Laurence	Alexis	Ludovic
Aude	Ludivine	Antoine	Manuel
Béatrice	Maëlle	Bastien	Martin
Bérénice	Mahée	Benjamin	Mathieu
Catherine	Marjorie	Blaise	Maxence
Clémence	Maude	Cédric	Nicolas
Corinne	Nadège	Christophe	Octave
Daphné	Odélie	Clovis	Olivier
Delphine	Pascale	Damien	Patrice
Éliane	Patricia	Didier	Philippe
Élise	Rachel	Éric	Quentin
Élodie	Rebecca	Étienne	Raphaël
Émilie	Roxanne	Fabrice	Renaud
Eugénie	Sandrine	Félix	Rodolphe
Fabienne	Sarah	Francis	Sébastien
Florence	Séverine	Gaspard	Simon
Gaëlle	Sophie	Germain	Tristan
Geneviève	Tania	Guillaume	Ugolin
Héloise	Valérie	Hugo	Victor
Isabelle	Vanessa	Ian	Vincent
Jacinthe	Virginie	Jérémie	Xavier
Jessica	Yolaine	Julien	Yannick
Karelle	Zoé	Kévin	Zacharie
Katia		Léonce	

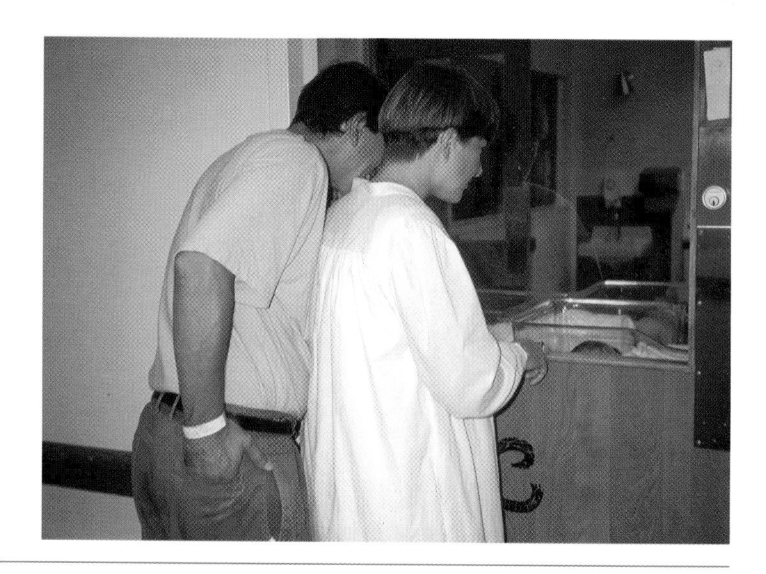

Première semaine

Quelques jours pour faire connaissance

Voilà, vous avez accouché! Même si vous êtes fatiguée, vous avez sans doute l'impression d'avoir réussi quelque chose d'extraordinaire. Rien au monde n'est plus doux que la peau de votre bébé.

Pendant les prochains jours, vous allez faire sa connaissance. L'attachement entre une mère et son enfant ne se crée pas nécessairement le jour de la naissance. Ne vous inquiétez pas si vous ne vous sentez pas proche de votre petit dès ses premières heures de vie. C'est tout à fait normal.

Le séjour à l'hôpital ou à la maternité a pour but de permettre à la mère de se reposer, mais ce n'est pas toujours facile. Entre les tétées, les soins du personnel médical, les repas, les douches à prendre méthodiquement, les visites de la famille et des amis, la nouvelle maman n'a pas le temps de s'arrêter bien longtemps, sans compter qu'elle est ralentie par la fatigue et par les malaises dus à l'accouchement. Dans ce contexte, il ne lui est pas toujours facile d'apprendre à s'occuper de son bébé.

La nouvelle maman est vulnérable. Très vulnérable. À cause des modifications importantes de son corps, des variations de ses taux d'hormones, de la fatigue et des émotions, elle oscille du bonheur le plus exaltant à une tristesse soudaine et inexplicable. Vous avez le droit de pleurer. Bien sûr, la naissance d'un enfant est un événement extraordinaire et tout le monde s'attend à ce que vous flottiez sur les nuages, mais les premiers jours sont souvent difficiles.

Profitez du savoir-faire du personnel, mais participez dès maintenant aux soins prodigués à votre bébé. Bien sûr, les infirmières peuvent changer une couche dix fois plus vite que vous, mais l'amour compense bien des maladresses. Et puis dans quelques jours, seule à la maison, vous apprécierez d'avoir appris. Cela vaut pour vous et pour votre partenaire.

Plein de lait pour bébé

Votre corps va encore subir des transformations importantes en peu de temps. Pendant quelques semaines, des sécrétions appelées «lochies» seront évacuées par votre utérus. Elles seront abondantes au début, mais elles diminueront après quelques jours et vous n'y penserez même plus.

Deux ou trois jours après la naissance, vos seins se remplissent de lait. Si vous n'allaitez pas, on vous donnera probablement un médicament destiné à empêcher cette montée de lait. Si vous allaitez votre bébé, faites-le fréquemment pour éviter que vos seins ne deviennent trop gonflés et douloureux. Certaines femmes ne remarquent même pas la montée de lait alors que d'autres la considèrent comme une étape éprouvante. Si vos seins débordent et sont très sensibles, ne vous inquiétez pas: ils ne seront pas ainsi pendant toute la durée de l'allaitement. Après deux jours, tout rentrera dans l'ordre. Mettez des compresses chaudes sur votre poitrine dix minutes avant de nourrir votre bébé. Reposez-vous le plus possible et demandez de l'aide au personnel médical.

MOIS ____________
SEMAINE N° ________

Lundi

12:00

18:00

Mardi

Mercredi

Jeudi

12:00

18:00

Vendredi

Samedi

Dimanche

Mon journal de la semaine

Deuxième semaine

D'amour et de calme

Pendant les premières semaines avec votre bébé, vous avez besoin d'aide. Cela ne signifie pas que vous êtes incapable d'assumer votre rôle de mère. Seulement, vous n'êtes pas en mesure de reprendre vos activités habituelles, et encore moins capable de vous occuper d'un bébé sans soutien. N'abusez pas de vos forces, vous ne savez jamais quand vous allez devoir rester debout une partie de la nuit. Demandez un coup de main à vos proches. Il vous faut du temps pour vous évader et pour vous reposer.

Profitez des premiers jours à la maison pour favoriser la création de liens entre le bébé et son papa. Laissez-le faire les choses à sa façon; n'insistez pas pour imposer vos idées, cela le découragerait. Un père qui n'est pas encouragé dès le début à prendre soin de son bébé peut rester longtemps à l'écart.

Si vous avez un autre enfant, il peut réagir fortement à l'arrivée d'un intrus qui monopolise l'attention de sa maman. Vous trouverez à la page 88 n° 32 des trucs pour vous faciliter la vie.

Et n'oubliez pas que votre bébé a surtout besoin d'amour et de calme. Il ne vous en voudra pas si un soir vous êtes trop fatiguée pour lui donner son bain et que vous vous contentez de le bercer!

MOIS ____________
SEMAINE Nº ________

Lundi

12:00

18:00

Mardi

Mercredi

Jeudi

12:00

18:00

Vendredi

Samedi

Dimanche

Mon journal de la semaine

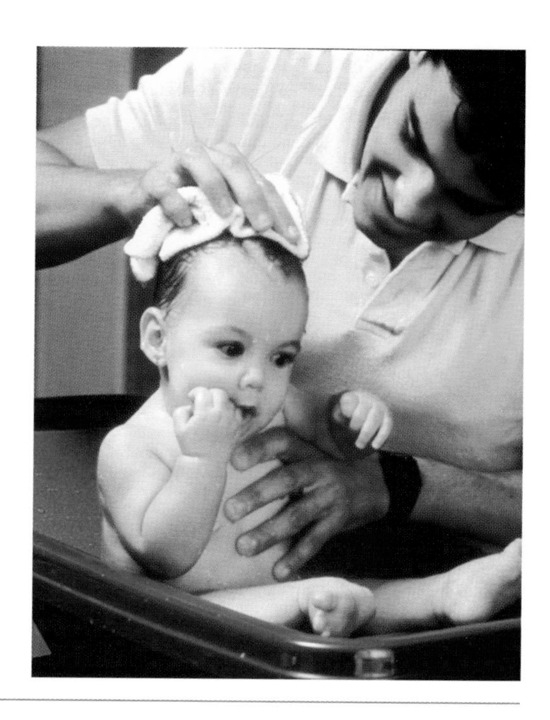

Troisième semaine

Un papa qui participe

Le nouveau papa reste souvent surpris devant la fragilité et la petitesse du nouveau-né. Dans ses rêves de paternité, il avait plutôt imaginé un enfant, ou au moins un bébé plus solide, plus éveillé, avec lequel il aurait pu jouer. Devant ce petit être qui ne semble s'intéresser qu'à manger, il peut être désorienté!

Papas, vous pouvez faire une foule de choses. Si bébé boit au biberon, vous pourriez par exemple lui donner les boires de nuit pour permettre à votre compagne de se reposer. La grossesse et l'accouchement l'ont fatiguée, et ses journées sont sûrement aussi épuisantes que les vôtres.

Si votre compagne nourrit le bébé au sein, elle a d'autant plus besoin de vous. Pour que l'allaitement fonctionne, la mère doit se sentir entièrement appuyée par son conjoint. Elle doit se reposer beaucoup et manger suffisamment. Vous pouvez vous lever la nuit pour changer le petit et l'amener à sa maman. Vous pouvez vous charger du repas du soir pendant qu'elle allaite tranquillement. Les bébés ont tendance à pleurer en fin d'après-midi. Pas facile de calmer un bébé tout en épluchant des pommes de terre. Mettez la main à la pâte!

Tout ça?

Que faire d'autre? Donner le bain au bébé. La meilleure façon de chasser votre peur de lui faire mal est de vous habituer à le manipuler lorsqu'il est nu. S'il crie trop quand vous le baignez, prenez-le avec vous dans la grande baignoire (attention toutefois à l'eau trop chaude). Rien de mieux pour créer des liens. Des recherches ont démontré que les pères qui prennent soin de leurs enfants dès le début demeurent plus proches d'eux, même des années plus tard.

Si vous avez d'autres enfants, profitez de l'occasion pour prendre une plus grande part à leur vie. Jouez avec eux, baignez-les, racontez-leur des histoires, couchez-les le soir. Ils n'ont jamais eu autant besoin de votre attention: ils doivent tout à coup partager leur mère adorée avec cet inconnu qui l'accapare.

Enfin, soyez inventif. Occupez-vous des courses, du ménage, du courrier. Demandez à votre compagne ce qui pourrait l'aider. Et si vous êtes épuisé, dites-vous que cela ne durera pas. Vous allez apprendre à vivre avec votre enfant, et, de semaine en semaine, celui-ci va mieux s'intégrer à votre vie.

MOIS ____________
SEMAINE N° ________

Lundi

12:00

18:00

Mardi

Mercredi

Jeudi

12:00

18:00

Vendredi

Samedi

Dimanche

Mon journal de la semaine

Quatrième semaine

Des problèmes à allaiter?

Les premières semaines de la vie avec un bébé sont constellées d'embûches. L'allaitement peut causer certains problèmes à ce moment. Il serait dommage pourtant d'abandonner après quelques jours difficiles et de priver maman et bébé des mois de bonheur qui suivront. Voici quelques-unes des difficultés les plus courantes.

- Les **commentaires** de l'entourage. Ce lait qu'on ne voit jamais, il est bien difficile de croire qu'il est vraiment suffisant pour un bébé. «Peut-être que ton lait n'est pas assez bon... Tu es trop fatiguée, tu n'as pas assez de lait... Le petit est affamé, on pourrait lui donner un biberon...» Au début, vous êtes fatiguée et vulnérable. Bouchez vos oreilles: votre lait est ce que vous pouvez donner de mieux à votre bébé. Et si votre décision d'allaiter est ébranlée, parlez-en à votre médecin ou à une femme qui a déjà allaité avant d'abandonner.
- Les **gerçures** et **crevasses.** Gardez les mamelons au sec pour éviter ces désagréments. Portez une compresse d'allaitement dans votre soutien-gorge. Lavez toujours vos seins à l'eau fraîche, sans savon. Enduisez-les de vitamine E après les tétées. Laissez-les à l'air libre le plus souvent possible.
- Le **manque de lait.** Toute femme en bonne santé peut allaiter son bébé. Si elle se repose, si elle boit et mange suffisamment, si elle vit dans un environnement serein, elle aura assez de lait. Si vous croyez en manquer, vérifiez d'abord en pressant le bout de votre sein. Même si vos seins vous semblent vides, ils peuvent donner du lait; quelques minutes seulement après une tétée, ils sont de nouveau prêts. Donner un biberon ne peut que nuire. En effet, la production de lait s'adapte à la demande du bébé: un bébé gavé au biberon tétera moins, vous produirez moins de lait, vous donnerez d'autres biberons et, en quelques jours, vous n'aurez plus de lait du tout.
- Les **poussées de croissance.** Certains jours, les bébés semblent insatiables: ils demandent le sein presque sans arrêt. Ces journées sont épuisantes pour la mère, mais vous les surmonterez plus aisément si vous comprenez ce qui se produit. Votre bébé grandit; il a besoin que vos seins produisent plus de lait. Il tète donc énormément pendant une journée, le temps que vos seins s'adaptent. Tout revient à la normale très rapidement.
- **Une douleur ou une bosse dure sur un sein.** Un canal lactifère peut être bloqué. Nettoyez bien votre mamelon: un trou est peut-être obstrué. Mettez des compresses chaudes sur le sein avant la tétée. Faites téter le bébé toutes les deux heures, en commençant toujours par le sein endolori. La douleur doit disparaître, sinon il y a risque d'infection. Si elle persiste, consultez un médecin.

MOIS ____________
SEMAINE Nº ________

Lundi

12:00

18:00

Mardi

Mercredi

Jeudi

12:00

18:00

Vendredi

Samedi

Dimanche

Mon journal de la semaine

Cinquième semaine

Photo de mon enfant

Remarques: ______________________________

MOIS ______________
SEMAINE Nº __________

Lundi

12:00

18:00

Mardi

Mercredi

Jeudi

12:00

18:00

Vendredi

Samedi

Dimanche

Mon journal de la semaine

Sixième semaine

Comment calmer un bébé qui pleure

Quand un nouveau-né n'est occupé ni à manger ni à dormir, il lui arrive souvent de pleurer. Les parents sont souvent désemparés: le bébé vient de manger, sa couche est sèche, il n'a ni chaud ni froid. Pourquoi pleure-t-il donc? Peut-être est-il trop fatigué pour s'endormir. Peut-être a-t-il tout simplement de la difficulté à s'habituer à notre monde si différent du nid tout chaud où il vivait il n'y a pas si longtemps.

D'abord, ne paniquez pas. La nervosité est contagieuse. La plupart des bébés sont grincheux en fin d'après-midi, au moment où tout le monde est fatigué.

N'ayez pas peur de rendre votre petit capricieux en le prenant dans vos bras; c'est encore là qu'il est le mieux. D'ailleurs, il vous le fera comprendre en arrêtant de pleurer instantanément. C'est en l'entourant ainsi d'amour que vous favoriserez le mieux son développement. À mesure qu'il s'intéressera à ce qui l'entoure, il pleurera moins.

Évidemment, on ne peut pas bercer continuellement son bébé. Pour vous reposer, essayez quelques-unes de ces suggestions:

- faites-lui faire un rot; c'est souvent ce qui empêche les bébés de s'endormir;
- couchez-le sur le ventre et caressez-lui les fesses;
- promenez-le en poussette, dans la maison si vous n'avez pas envie de sortir;
- emmenez-le faire une balade en voiture;
- emmaillotez-le bien;
- faites jouer de la musique;
- passez l'aspirateur, mettez le lave-vaisselle en marche;
- placez votre enfant à un endroit où il peut voir bouger quelqu'un ou quelque chose;
- donnez-lui une sucette ou votre doigt à sucer;
- parlez-lui tout en continuant vos activités;
- installez-le dans un sac porte-bébé en toile (au moins, vous aurez les mains libres!);
- confiez votre bébé à une autre personne pour un moment; il se calmera peut-être tout de suite. Cela ne signifie pas que vous ne savez pas vous en occuper; simplement que vous avez besoin de vous en éloigner de temps à autre;
- si rien ne réussit, mettez votre bébé dans son lit et occupez-vous à autre chose pour un moment. Pleurer pendant quinze minutes ne lui fera pas de mal et cela vous donnera le temps de refaire vos forces. Par contre, s'il reste souvent inconsolable, parlez-en à votre médecin.

MOIS ______________
SEMAINE Nº ________

Lundi

12:00

18:00

Mardi

Mercredi

Jeudi

12:00

18:00

Vendredi

Samedi

Dimanche

Mon journal de la semaine

Septième semaine

Dans une bulle

La naissance d'un bébé fait partie des événements les plus heureux de la vie. La femme enceinte est entourée d'attentions. La joie culmine pendant les jours qui suivent l'arrivée du bébé: tout le monde se bouscule pour découvrir avant les autres à qui ressemble le nouveau venu. Les cadeaux et les cartes de félicitations pleuvent.

Mais la Terre ne s'arrête pas de tourner chaque fois qu'un enfant naît. Chacun est repris par le tourbillon de ses activités, même le nouveau papa qui retourne bien vite au travail. Tout le monde, sauf la mère. Après quelques jours, quelques semaines, elle se retrouve seule. Le téléphone se tait, les collègues de travail semblent vivre dans un autre univers, les amis ont peur de la déranger.

La nouvelle maman a souvent l'impression d'avoir été enfermée dans une bulle avec son bébé pour le reste de ses jours. Elle l'adore, mais sa vie d'avant lui manque et elle trouve difficile de voir le contrôle de son existence lui échapper. Elle court toute la journée et s'endort le soir avec l'impression de n'avoir rien fait. En plus, elle se trouve peu attirante; son ventre lui semble énorme, tout mou, tellement vide.

Confiez votre bébé

Surtout, ne vous laissez pas aller. D'abord, vous n'êtes pas la seule à pouvoir prendre soin de votre bébé. Certaines femmes sont déchirées à l'idée de se séparer de leur enfant même si elles savent qu'elles en ont profondément besoin. Le nouveau-né a avant tout besoin d'une mère heureuse. Alors prenez soin de vous: un peu d'exercice, un bain mousseux le soir, quinze minutes de marche par jour, une saine alimentation. La forme reviendra rapidement.

Sortez avec votre poupon, même si cela vous fatigue un peu. Gardez toujours prêt un sac contenant toutes les petites choses de bébé; vous pourrez partir plus vite.

Cherchez de l'appui. Il existe des groupes d'entraide pour nouvelles mamans et pour les mères qui allaitent. Peut-être une voisine ou une amie a-t-elle eu un bébé récemment?

Et puis les bébés grandissent et deviennent d'adorables enfants. Répétez-vous-le souvent. Cela ne durera pas toujours. Bientôt, votre bébé adoptera un horaire assez régulier, vous saurez d'avance à quelle heure il va manger et dormir, et vous reprendrez peu à peu le contrôle de vos activités.

MOIS ______________
SEMAINE Nº ________

Lundi

12:00

18:00

Mardi

Mercredi

Jeudi

12:00

18:00

Vendredi

Samedi

Dimanche

Mon journal de la semaine

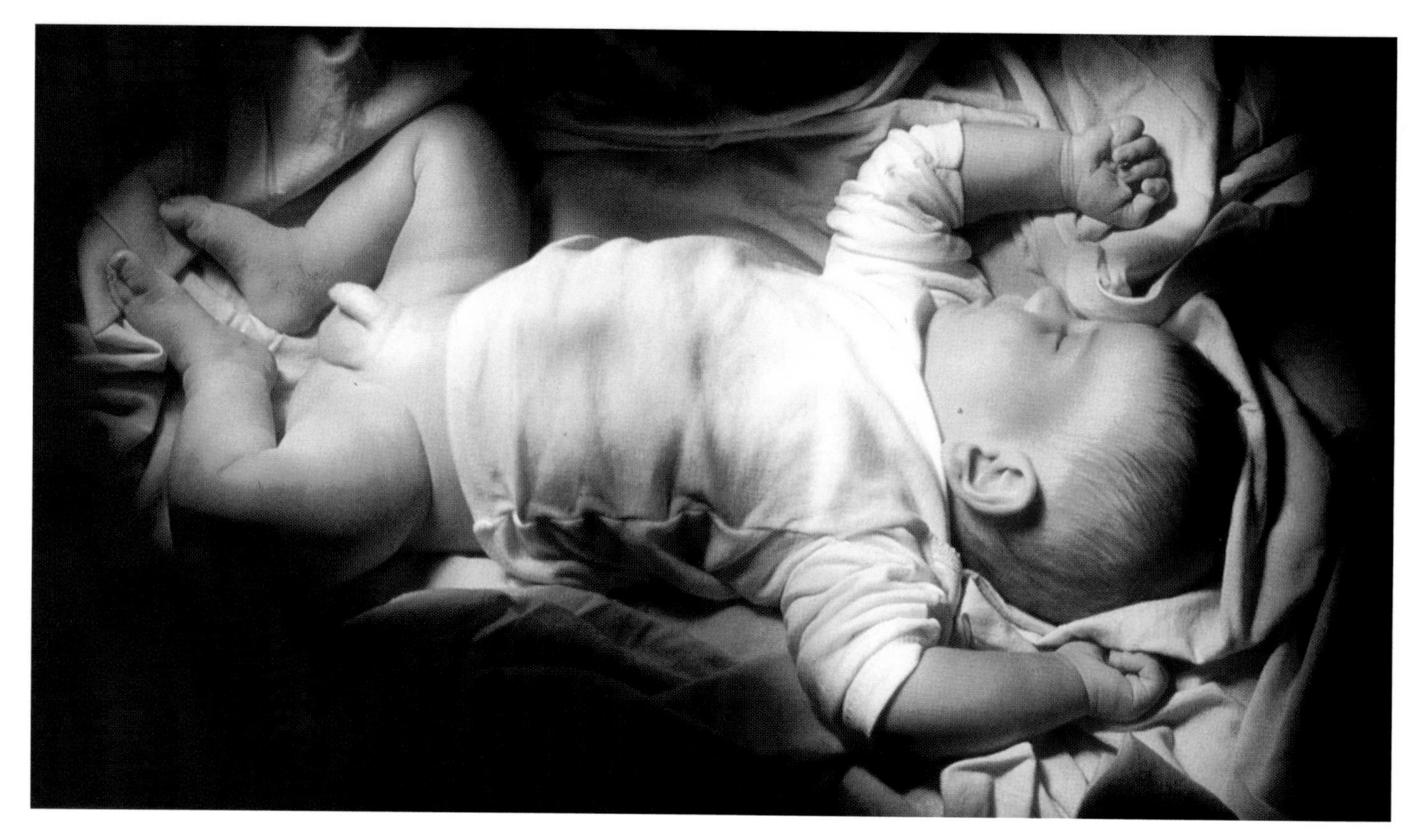

Huitième semaine

Fais dodo...

Un nouveau-né passe une grande partie de son temps à dormir. Mais comme il dort par courtes périodes, le sommeil devient vite pour ses parents une préoccupation... disons presque une obsession. Quand dormira-t-il enfin tout la nuit? se demandent-ils. Impossible de répondre, les bébés étant sur ce point extrêmement différents les uns des autres. Si certains dorment douze heures d'affilée à deux mois, d'autres continuent de se réveiller la nuit jusqu'à l'âge d'un an et même plus. De tous les trucs que se refilent les parents pour encourager leurs poupons à dormir, un seul semble vraiment efficace: respecter le sommeil du bébé.

Pour cela, il faut bien comprendre comment dort un nouveau-né. Il traverse deux phases de sommeil: le sommeil profond et le sommeil léger. Lorsqu'il dort d'un sommeil profond, il ne bouge pas, respire si doucement que vous devez vous en approcher pour l'entendre. Il est alors très difficile de le réveiller: si vous devez sortir à ce moment-là et que vous le prenez pour l'habiller, par exemple, vous verrez qu'il se rendormira dès que vous cesserez de le manipuler.

Puis, il passe à un sommeil léger: il bouge, émet des sons bizarres ou même des pleurs, sourit aux anges, respire plus fort, se met à sucer. Ce sommeil qu'on appelle paradoxal est trompeur: les parents peuvent penser que le bébé est réveillé et le prendre pour lui donner à boire. Ce serait une erreur: le bébé traverse plusieurs fois ces deux phases de sommeil avant de s'éveiller pour réclamer à boire. Si vous le prenez dès qu'il gigote un peu, vous perturbez son rythme de sommeil. Il n'apprendra pas à retrouver le sommeil profond tout seul: il aura besoin de votre présence et continuera longtemps de se réveiller la nuit.

Si bébé dort dans votre chambre et que vous vous réveillez dès qu'il émet quelques bruits, vous préférerez peut-être le coucher dans une autre pièce. Ne vous inquiétez pas: lorsqu'ils ont vraiment faim, les bébés s'expriment clairement... et avec vigueur!

MOIS ____________

SEMAINE N° ________

Lundi

12:00

18:00

Mardi

Mercredi

Jeudi

12:00

18:00

Vendredi

Samedi

Dimanche

Mon journal de la semaine

Neuvième semaine

Photo de mon enfant

Remarques:

MOIS ____________

SEMAINE Nº ________

Lundi

12:00

18:00

Mardi

Mercredi

Jeudi

12:00

18:00

Vendredi

Samedi

Dimanche

Mon journal de la semaine

Dixième semaine

Retrouver la forme

Les premiers examens auxquels se livre devant son miroir la femme qui vient d'accoucher la conduisent souvent au découragement. Alors que tout le monde s'extasie sur la beauté du bébé, la mère se sent bien peu attirante. Ce n'est pas le moment de flancher; il n'en tient qu'à vous de retrouver votre tonus! Les kilos en trop fondront probablement sans même que vous ayez à vous en préoccuper. L'important, c'est de raffermir les muscles de l'abdomen et le périnée. Pour ce faire, voici deux exercices que vous pouvez faire tout en vaquant à vos activités quotidiennes ou en vous occupant de votre nouveau-né.

Exercice du Dr Kegel

Dès les premières heures suivant l'accouchement, la nouvelle maman peut recommencer à contracter doucement les muscles pelviens (voir page 62 nº 19). À mesure que vous constatez qu'ils reprennent leurs forces, augmentez le nombre et la durée des exercices.

Muscles abdominaux

Avant de vous remettre à faire des redressements assis pour renforcer vos muscles abdominaux, faites-les travailler de façon plus modérée. Couchée sur le dos, inspirez puis, en expirant à fond, collez le creux du dos au sol en étirant vos bras vers vos pieds. Vous pouvez réaliser ce même exercice debout, le dos appuyé à un mur. Vous sentirez travailler les muscles de votre abdomen.

Bien sûr, ces exercices ne suffiront pas à vous faire retrouver votre taille. À mesure que vous vous sentirez mieux, vous pourrez reprendre la pratique de vos sports préférés. Profitez des moments où bébé est de mauvaise humeur pour faire une promenade en poussette avec lui; vous en tirerez avantage tous les deux!

MOIS ________________
SEMAINE Nº __________

Lundi

12:00

18:00

Mardi

Mercredi

Jeudi

12:00

18:00

Vendredi

Samedi

Dimanche

Mon journal de la semaine

Onzième semaine

Du lait et de l'affection

D'une époque à l'autre, d'un pays à l'autre, la façon de nourrir les bébés diffère. Cependant, aujourd'hui, les meilleurs spécialistes s'entendent pour dire qu'avant un âge qui varie entre quatre et six mois, l'enfant nourri au lait maternel complété de vitamine D ou au lait maternisé reçoit exactement ce dont il a besoin. On suggère de ne pas introduire les aliments solides dans son alimentation avant cet âge. Cette recommandation s'appuie sur plusieurs faits.

- Les aliments solides n'ont **aucun effet sur la durée du sommeil** d'un enfant de moins de quatre mois. Plusieurs bébés nourris exclusivement de lait dorment toute la nuit bien avant cet âge. Leur sommeil prolongé reflète leur développement neurologique et non la façon dont ils sont nourris.
- Selon des pédiatres, le bébé est **inapte à avaler** des solides avant l'âge de quatre mois: il avale avec peine ce qu'on lui met dans la bouche à la cuiller.
- Le **système digestif du nouveau-né est sous-développé.** Il n'assimilera que partiellement et avec difficulté les solides qu'on lui aura donnés trop tôt, et le reste se retrouvera dans ses selles.
- Le **système rénal du jeune bébé est immature.** Certains aliments solides donnés trop tôt peuvent lui causer des problèmes.
- Plus le bébé est jeune, plus les **risques d'allergie** sont élevés. Une introduction lente et progressive des aliments solides dans son régime alimentaire après l'âge de quatre à six mois réduit les risques d'allergie au minimum.
- Avant quatre à six mois, un bébé né à terme **ne manque pas de fer.**
- Les aliments solides n'augmentent pas la valeur nutritive du menu lorsqu'ils sont intégrés trop tôt, parce que le bébé diminue la quantité de lait qu'il boit. Or **c'est de lait dont il a le plus besoin.**
- L'introduction lente des aliments solides permet de **respecter l'appétit du bébé.** Avant l'âge de quatre à six mois, le bébé ne peut exprimer sa satiété. À cet âge, il peut faire comprendre qu'il n'a plus faim en tournant la tête ou en la reculant.

N'allez pas trop vite. Actuellement, votre bébé n'a besoin que de lait... et d'affection!

Note: Ce texte provient en grande partie du livre *Comment nourrir son enfant de la naissance à 2 ans,* de Louise Lambert-Lagacé, diététiste, publié aux Éditions de l'Homme. Cet ouvrage contient une mine de renseignements indispensables sur l'alimentation de la femme enceinte et de la nourrice, sur l'allaitement et les laits maternisés, ainsi que sur l'alimentation du bébé et du tout-petit.

MOIS ____________

SEMAINE Nº ________

Lundi

12:00

18:00

Mardi

Mercredi

Jeudi

12:00

18:00

Vendredi

Samedi

Dimanche

Mon journal de la semaine

Douzième semaine

Communiquer avec son bébé

Dès sa naissance, le bébé est prêt à entrer en communication avec le monde qui l'entoure. Votre mission, aussi importante que celle de le nourrir et de le changer, consiste à faciliter ses relations avec son environnement.

Que faut-il faire encore, je suis déjà débordée? vous demandez-vous peut-être. Rien qui nécessite plus de temps que vous n'en passez déjà avec votre enfant. D'abord, gardez-le près de vous le jour plutôt que de le remettre dans son lit dès la fin du repas. Dans un berceau ou dans un fauteuil inclinable, il pourra vous regarder bouger, vous entendre parler au téléphone, suivre des yeux les jeux de ses frères et sœurs. Les bruits réguliers ne l'empêcheront pas de dormir; il y a été habitué au cours de son séjour dans l'utérus.

Parlez à votre bébé le plus possible. N'ayez pas peur d'être ridicule. Il ne comprend pas tout ce que vous dites, mais il saisit l'essentiel au ton que vous employez. Expliquez-lui ce que vous faites lorsque vous le changez et le lavez, faites-lui visiter la maison, présentez-lui les gens que vous rencontrez. L'apprentissage du langage débute longtemps avant l'âge où le bébé commence effectivement à parler. D'ailleurs, vous verrez qu'il vous «répondra» bien vite par des gazouillis lorsque vous vous adresserez à lui.

Observez bien votre enfant: par ses gestes, par ses attitudes, il vous permet déjà de découvrir sa personnalité. Ne craignez pas de le rendre capricieux en le prenant dans vos bras: touchez-le, exprimez-lui votre amour et votre bonheur en le serrant et en le caressant. Il aime regarder votre visage; placez-vous à environ 20 centimètres de lui pour lui parler lorsque vous le prenez.

En comparant des bébés vivant en institution à des nouveau-nés élevés par leur mère, on a découvert que les gestes d'amour quotidiens contribuent énormément au développement du bébé. D'ailleurs, vous découvrirez bien vite que votre bébé réagit fortement à votre présence!

MOIS ____________

SEMAINE Nº ________

Lundi

12:00

18:00

Mardi

Mercredi

Jeudi

12:00

18:00

Vendredi

Samedi

Dimanche

Mon journal de la semaine

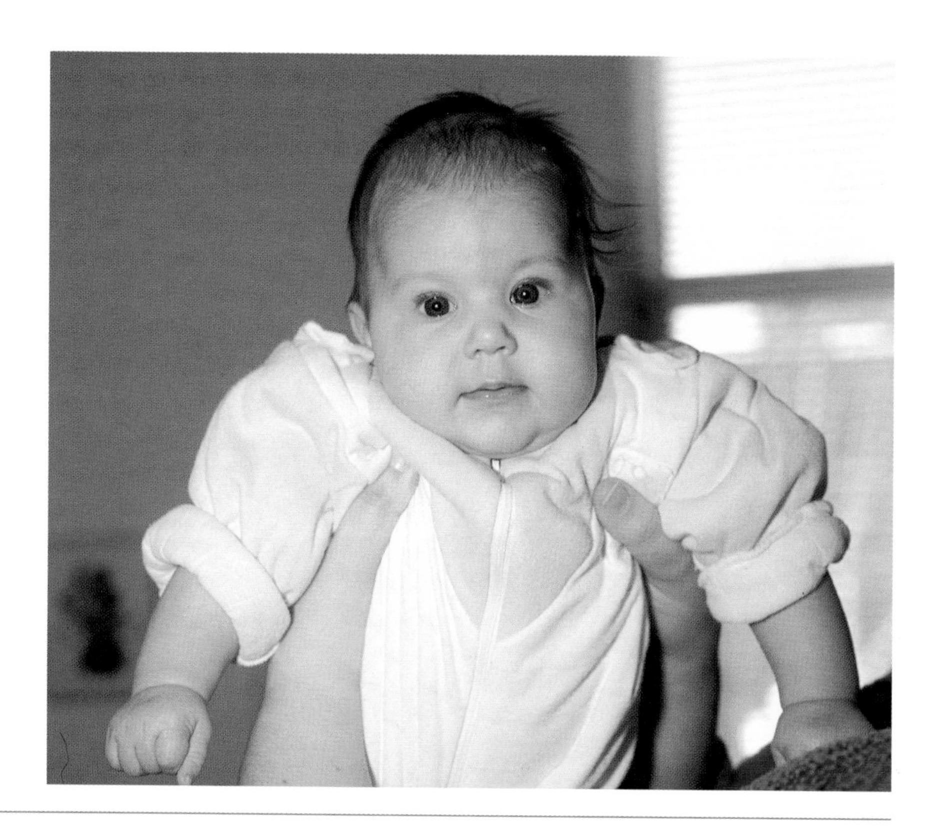

Treizième semaine

Bientôt à quatre pattes

Très bientôt, votre rejeton se promènera à quatre pattes dans toute la maison. Quelques semaines plus tard, il se hissera debout en s'accrochant à tout ce qui se trouvera à sa portée. Mieux vaut commencer tout de suite à organiser votre logement en conséquence.

Cela est important pour trois raisons. D'abord, pour la sécurité de votre enfant: un tas de choses qu'on trouve dans toutes les maisons peuvent mettre la vie d'un bébé en danger. Deuxièmement, parce qu'un enfant à qui on interdit continuellement de toucher à ce qui l'entoure peut être bloqué dans son développement intellectuel. Troisièmement, parce qu'organiser sa maison en fonction de la vie avec un bébé est la seule façon pour les parents de conserver un peu de tranquillité!

Un bambin voit tout (surtout ce que vous voudriez lui cacher) et n'a aucune idée du danger. La belle plante verte qui orne votre salon l'intéresse beaucoup plus que les jouets que vous lui offrez. La meilleure manière de préparer votre maison est de vous mettre à quatre pattes comme lui et de vérifier si tout ce que vous pouvez attraper ainsi est sans danger, suffisamment gros pour ne pas être avalé, assez solide pour ne pas vous tomber dessus. Pourquoi ne pas inviter des amis dont le bébé marche à quatre pattes? Il aura tôt fait de vous aider à dénicher tous les dangers que recèle votre maison.

Quelques trucs

- Rangez tous les produits d'entretien (même ceux qui vous paraissent inoffensifs), tous les médicaments, les outils ainsi que les sacs de plastique dans des armoires trop hautes pour être atteintes ou fermées à clé.
- Vérifiez si un bébé grimpeur pourrait tomber en bas d'une fenêtre.
- Certaines plantes vertes contiennent un poison: mettez-les hors de la portée de votre enfant.
- Attention aux fils qui pendent et aux nappes qui descendent trop bas.
- Comment empêcherez-vous votre bébé de tomber en bas de l'escalier?
- Vous trouverez dans les magasins spécialisés toutes sortes d'articles destinés à rendre votre maison plus sûre.

MOIS ____________
SEMAINE Nº ________

Lundi

12:00

18:00

Mardi

Mercredi

Jeudi

12:00

18:00

Vendredi

Samedi

Dimanche

Mon journal de la semaine

✍

Quatorzième semaine

Photo de mon enfant

Remarques:

MOIS ____________

SEMAINE Nº ________

Lundi

12:00

18:00

Mardi

Mercredi

Jeudi

12:00

18:00

Vendredi

Samedi

Dimanche

Mon journal de la semaine

Bébé grandit

Bébé grandit

À la naissance, il pèse _______ kg et mesure _______ cm.
À un mois, il pèse _______ kg et mesure _______ cm.
À deux mois, il pèse _______ kg et mesure _______ cm.
À trois mois, il pèse _______ kg et mesure _______ cm.

Photo de mon enfant
à la naissance

Les grands événements

Mon premier sourire _______________
Mon premier jouet _______________
Ma première adresse _______________

____

Mon premier ourson _______________
Ma première visite chez le médecin _______________
Ma première nuit _______________
Ma première gardienne _______________
Mon premier vaccin _______________
Mon premier voyage _______________

____

Ma première coupe de cheveux _______________
À un mois, je bois toutes les _______________
À deux mois, je bois toutes les _______________
À trois mois, je bois toutes les _______________

Photo de mon enfant
à mon choix

On baptise bébé

Astrologie et grossesse

Bélier

21 mars au 20 avril

La native du Bélier choisira de façon logique la meilleure période pour sa grossesse et, par conséquent, la date approximative de son accouchement. Si elle préfère l'été, elle s'organisera! Elle est même attirée par les techniques qui permettent de choisir le sexe de son enfant.

Madame Bélier est passionnée, intelligente et très organisée. La grossesse est pour elle une période intense, tant sur le plan intellectuel que physique. Elle bouquine et se documente sur tout ce qui concerne la croissance du fœtus, l'hérédité, etc. Les cours prénatals l'enthousiasment, car ils lui permettent d'apprendre. Elle ne manque pas une séance d'exercices.

C'est LA période de sa vie, la plus enrichissante à tous points de vue. Sa grossesse, facile, se déroule habituellement à l'abri des complications d'ordre physique et de l'anxiété.

Pour elle, accoucher est une sorte d'épreuve sportive et, à ce titre, une expérience naturelle qui se passe très bien. L'accouchement peut se prolonger un peu, mais sans problèmes importants. Maman Bélier a aussi de la facilité à allaiter. Attention au retour à la maison: elle devra prévoir du repos et de l'aide. Par contre, c'est une femme qui retombe rapidement sur ses pieds.

C'est une mère intelligente, expérimentée (elle lit beaucoup) et souvent admirable. Elle saura reconnaître les qualités propres à son enfant et veillera à l'éveil et à l'épanouissement de toutes ses facultés. Ses enfants sont d'ailleurs souvent parmi les plus éveillés et les plus futés; ils deviendront des adultes équilibrés.

Madame Bélier sait ce qu'elle veut et elle a horreur qu'on lui prodigue des conseils sans qu'elle l'ait demandé. Son entourage s'en rendra compte rapidement... Pour les conseils, elle préfère s'adresser aux spécialistes et consulter des livres. Et elle se débrouille très bien!

Taureau

21 avril au 20 mai

La native du Taureau laisse faire «Mère Nature»; elle se sent en confiance, sereine. Elle a d'énormes réserves d'amour et de tendresse; que son enfant naisse au printemps ou à l'été, ses bras et son cœur sont grands ouverts.

Avec elle, rien de scientifique, pas de recettes: porter un enfant et le mettre au monde est un phénomène naturel. Mais elle vit sa grossesse avec des hauts et des bas. Elle doit donc prendre encore plus soin d'elle-même, particulièrement en s'accordant de longues périodes de sommeil et en buvant beaucoup de liquide pour éliminer les toxines.

Elle se sécurise en racontant ses petits problèmes (qu'elle amplifie en certaines périodes de nervosité), et en demandant conseil à tout le monde. Attention à l'anxiété! Elle doit absolument suivre des cours prénatals; le yoga lui sera bénéfique.

Madame Taureau doit avoir confiance en son médecin et suivre ses recommandations de préférence à celles de son entourage. Elle a habituellement un accouchement facile et, quelquefois, c'est le plus beau moment de sa vie. Le retour à la maison se passe sans problèmes: son moral est bon, mais sur le plan physique, elle récupère lentement.

Madame Taureau est une femme de traditions: elle aime la famille, et ses enfants hériteront de ses principes. Elle sera ferme mais saura faire preuve de beaucoup de compréhension. Elle souhaite le meilleur et est prête à faire des sacrifices pour l'obtenir.

Elle doit faire attention au surmenage, car c'est une perfectionniste. Elle doit penser à s'accorder de temps à autre un repos bien mérité.

Gémeaux

21 mai au 21 juin

La native du Gémeaux a une double personnalité. D'un côté, elle est calme et assume sa grossesse sûrement. Comme Madame Bélier, elle lit et analyse les changements qui surviennent en elle. La logique dont elle fait preuve l'amène, du début à la fin de sa grossesse, à vouloir apprendre et savoir. Sa personnalité profonde s'enrichit durant cette période.

L'autre Madame Gémeaux est affectée par les changements hormonaux: tantôt joyeuse et exubérante, impatiente d'accoucher, tantôt déprimée et triste. En revanche, les problèmes physiques se font rares et elle accouche animée d'une joie bienfaisante. Elle vit en règle générale un accouchement normal, sans trop de malaises, mais un peu long. Elle se relève rapidement et éprouve rarement de l'anxiété à son retour au foyer. Il sera tout de même sage de prévoir de l'aide.

Dévouée, intelligente et sensible, elle fera de son enfant un être autonome. Elle aura une relation franche et honnête avec lui. Chez la native du Gémeaux, on remarque beaucoup de volonté, mais cette volonté s'épuise. Les changements occasionnés par ce phénomène ne sont pas toujours bénéfiques pour l'enfant. Par contre, la mère devient rapidement la confidente, la copine. Pour Madame Gémeaux, les problèmes sont minimes.

Cancer

22 juin au 23 juillet

La native du Cancer a tout pour être mère. L'amour et la tendresse font partie intégrante de sa personnalité. Elle s'épanouit dans la maternité; elle est en liaison profonde avec elle-même et l'expérience l'embellit.

Elle surmonte facilement les petites angoisses, les doutes et les peurs. Le sommeil réparateur et les exercices prénatals lui sont recommandés, car l'accouchement la fatiguera, même s'il se révèle facile. Il lui faut être patiente et se reposer.

Une force supérieure envahit Madame Cancer pendant sa grossesse; elle la vit avec plénitude. Elle doit donc éviter les abus (pas de grand ménage!) que ce trop plein d'énergie pourrait l'inciter à faire. Du repos, une hydratation adéquate pour prévenir l'auto-intoxication et un bon régime alimentaire sont de mise.

Perfectionniste, minutieuse, attachant de l'importance aux traditions familiales et aux apparences, Madame Cancer fera tout pour donner une éducation brillante à son enfant; elle doit prendre garde à le surprotéger car, même bien élevé et entouré d'amour, celui-ci pourrait manquer de débrouillardise.

Lion

24 juillet au 23 août

La native du Lion est un être exceptionnel, femme et mère fidèle à elle-même jusqu'au bout. Comme elle ne passe jamais inaperçue, la grossesse constitue un grand événement pour elle. Gaie de nature, elle s'empresse de partager la nouvelle avec tout son petit monde, et même avec le monde entier... ou presque!

Son tempérament lui épargne de consacrer du temps aux craintes et aux inquiétudes. Elle aime les gens, et sa grossesse ne change rien à ses habitudes: un vrai papillon qui risque de se fatiguer et de ne pas se préoccuper suffisamment de lui-même.

Mais Madame Lion est de constitution robuste; les malaises sont rares et elle demeure énergique jusqu'à la fin. Une provision de sommeil les derniers temps serait profitable si elle ne veut pas être prise au dépourvu devant la longueur du travail lors de l'accouchement.

Optimiste, elle s'en tire à merveille. Elle ne s'en cache d'ailleurs pas, cherchant à se mettre en valeur dans des récits toujours très imagés. Elle éprouve peu d'anxiété lors du retour à la maison; il s'est opéré un changement en profondeur chez elle.

Madame Lion est maman dès l'instant où elle tient bébé dans ses bras. C'est un sentiment instantané et fulgurant. Elle se préoccupe beaucoup du bien-être de l'enfant; perfectionniste, elle veut tout savoir, tout de suite, et elle réussit généralement fort bien ce qu'elle entreprend.

Il en résulte des enfants audacieux, extravertis et courtois. Elle sait leur inculquer la confiance en eux-mêmes. De sa maternité, Madame Lion découvre une nouvelle dimension humaine et connaît l'épanouissement.

Vierge

24 août au 23 septembre

Pour la native de la Vierge, la grossesse est un phénomène normal. Le sentiment qu'elle éprouve est naturel, car c'est une femme équilibrée et sereine. Les choses sont simples et claires; elle est heureuse de l'événement, mais non exubérante. Elle ne veut rien changer à sa façon de vivre, et seul son médecin peut lui faire entendre raison et l'amener à prendre du repos.

Il lui est relativement facile d'accoucher en raison de sa patience et de sa volonté de faire de son mieux. Mais elle trouve le travail long et fastidieux. Elle est sérieuse, réaliste et déterminée. Pas de drame, donc; elle sait garder la tête froide: il faut bien «faire face à la musique» si l'on veut avoir des enfants. Elle ne se raconte pas d'histoires et évite de jouer avec les sentiments, même si elle est sensible.

Bien que le retour à la maison se passe habituellement sans accrocs, elle peut se sentir seule et démunie. Attention aux apparences de calme: il faut lui accorder beaucoup d'attention.

Maman Vierge est dévouée, perfectionniste, minutieuse; il faut parfois l'arrêter. Mère poule tant que l'enfant est au berceau, c'est généralement une bonne pédagogue, parfois exigeante. Elle tient à certains critères et peut se révéler autoritaire, ce qui fait de son enfant un être ordonné, discipliné et minutieux. Madame Vierge gagnerait peut-être à faire preuve de plus de souplesse sur le plan moral.

Balance

24 septembre au 23 octobre

La native de la Balance a un enfant lorsqu'elle est amoureuse, et ce n'est pas facile car elle n'est pas sûre d'elle. Pourtant, c'est une merveilleuse période d'épanouissement et de joie. Pas de problèmes physiques importants, seulement quelques inquiétudes, de l'insécurité et de l'appréhension à certains moments. Elle a besoin de quelqu'un qui la soutienne, car elle amplifie quelquefois les problèmes. Elle doit apprendre à se détendre; des cours prénatals lui seraient profitables pour s'exercer aux respirations et à la relaxation.

Madame Balance peut être influençable: elle doit se protéger des conseils et des histoires de tout un chacun. Une bonne préparation et de l'autodiscipline pour s'assurer un excellent moral, et l'accouchement sera d'autant plus facile.

Le retour au domicile familial se fait dans la simplicité. Madame Balance est bien dans sa nouvelle peau, les peurs sont disparues: c'est l'émerveillement, presque l'euphorie. Elle aime son enfant avec intelligence et modération et lui donne ce qu'il y a de mieux comme éducation, une éducation souvent fondée sur des principes traditionnels.

Son entourage ne doit pas la contredire. Bien qu'elle se laisse influencer par ce qui est nouveau, elle fait preuve de beaucoup de bon sens et peut se montrer sévère. Ses enfants seront en général capables de spontanéité.

Scorpion

24 octobre au 22 novembre

La native du Scorpion est une excessive; elle vit à travers sa grossesse une période euphorique. Elle suit un régime alimentaire et s'intéresse de près au déroulement de sa grossesse. Elle assiste consciencieusement à ses cours prénatals. Positive, elle cherche à tout savoir, s'analyse et questionne les autres.

Elle puise dans son expérience un enrichissement certain. Elle fait preuve d'attention et d'intelligence. Elle choisit ses amis(es) et son médecin, et ne retient que ce qu'il y a de meilleur pour elle. Si elle éprouve de l'insatisfaction, elle n'hésite pas à faire des changements, car elle sait ce qu'elle veut.

Madame Scorpion fait de son accouchement une expérience cosmique et un exploit sportif vécu dans toute sa puissance. Il ne faut pas se surprendre des nouvelles dimensions de son cœur et de son esprit: c'est une femme courageuse et patiente.

Pour le retour à la maison, il lui faut prévoir de l'aide, car les changements hormonaux qu'elle subit pourraient allonger la période de récupération. Elle doit non seulement se faire confiance, mais aussi pouvoir compter sur le soutien d'une personne fiable pour les premiers mois; elle doit éviter la solitude.

Femme raffinée, souvent cultivée, c'est une maman superbe. Elle est avant-gardiste et accorde une grande liberté à son enfant. Celui-ci devient rapidement éveillé, intelligent et débrouillard. Les enfants de Madame Scorpion sont en général créatifs et animés d'une belle sensibilité.

Sagittaire

23 novembre au 20 décembre

La native du Sagittaire a une constitution robuste, et la grossesse est pour elle une période habituellement facile. Malgré son tempérament décidé, elle vit des contradictions intérieures, ce qui crée chez elle une forme d'insécurité et des mouvements d'impatience. Elle doit faire attention: manger pour deux n'est certes pas la solution à tous ces bouleversements physiques et émotifs. Elle montre l'inverse de son caractère habituel au cours des premiers six ou sept mois. Elle a besoin qu'on la rassure et qu'on la protège, surtout durant ses accès de nervosité.

Madame Sagittaire doit s'inscrire aux cours prénatals dès les tout débuts de sa grossesse, se concentrer et pratiquer fréquemment les respirations décontractantes. La marche, une hydratation adéquate, un entretien minutieux de la peau et des cheveux sont particulièrement importants pour elle.

Elle recherche la perfection et se culpabilise si elle ne l'atteint pas. Heureusement, l'accouchement et le retour à la maison sont faciles. Elle doit apprendre à être plus indulgente envers elle-même si elle veut s'enrichir de ce merveilleux moment.

Bonne maman, la Sagittaire est pleine de bon sens. L'autonomie, l'indépendance et la capacité de réflexion sont les qualités qu'elle souhaite transmettre à son enfant. Équilibré, celui-ci saura très tôt prendre ses responsabilités, malgré son émotivité. Il pourra se montrer orgueilleux et chercher à impressionner son entourage. Nerveuse, maman Sagittaire fait parfois des colères. Mais grâce à sa franchise directe, son enfant est souvent privilégié.

Capricorne

21 décembre au 20 janvier

La native du Capricorne est une femme réservée, calme, disciplinée et d'une grande simplicité. C'est donc d'humeur égale qu'elle traverse sa grossesse, confiante et obéissante aux recommandations de son médecin. Elle ne s'inscrit aux cours prénatals que si on le lui recommande. Pas de grands remous, pas de théâtre: elle préfère vivre ces instants secrètement, en toute simplicité, et préparer avec joie et dextérité la venue de bébé.

Madame Capricorne est intelligente et sensible; elle accouche avec calme et confiance, et généralement avec beaucoup de facilité. Ce n'est pas une sentimentale, mais une intense émotion et une joie très profonde l'envahissent.

Le retour au foyer ne pose pas de problèmes. Elle est forte, saine de corps et d'esprit, et devient maman tout naturellement. Elle a besoin d'aide les deux premières semaines afin de dormir à satiété.

L'enfant aura une maman dévouée, intelligente, presque parfaite. Sa compétence est naturelle, sa personnalité pleine de sensibilité. Son enfant sera franc et honnête, mais quelque peu dépendant du refuge que constitue la famille. Il ne sera pas des plus vifs, mais saura faire preuve de persévérance et de ténacité.

Verseau

21 janvier au 19 février

La native du Verseau a tendance à manquer de confiance en elle, mais sa grossesse est une période heureuse. Il est important pour elle de tenter de ne pas toujours imaginer le pire. Sa nervosité lui crée un peu d'anxiété; elle doit donc se rassurer en choisissant un médecin en qui elle aura entièrement confiance. Elle trouvera également à ses cours prénatals, en plus des exercices et des respirations, le soutien, l'aide et la sécurité dont elle a tant besoin. Enfin, dans son cas, un supplément de vitamines pour ses cheveux et sa peau est recommandé.

L'accouchement de Madame Verseau sera fonction de son attitude durant les neuf mois de sa grossesse: bien si elle est calme et positive, long si elle est tendue et inquiète. Sa maternité, qu'elle vit comme une sorte de grande bouffée d'air intérieur, l'épanouit. C'est également de façon sereine et avec une joie profonde qu'elle devient maman.

Le retour à la maison se fait normalement, mais il sera sage de prévoir de l'aide au début, car maman Verseau a tendance à s'inquiéter en tout temps du sommeil de bébé, à se créer des craintes, à le surveiller continuellement.

Fine psychologue, sachant tirer parti des situations, elle organise l'éducation de son enfant avec intelligence, tendresse, affection et attention. Elle lui donne le meilleur d'elle-même, et en fera un enfant précoce, débrouillard, d'intelligence rapide et efficace, et d'une franchise remarquable.

Poissons

20 février au 20 mars

La native des Poissons éprouve le désir d'être mère avant tout. Elle souhaite ardemment partager tout l'amour et la générosité qui l'animent, au moment choisi. Fonder une famille est important, et comme elle est maternelle et généreuse dans son quotidien, elle le sera d'autant plus avec son enfant.

Elle s'épanouit dans la maternité, et il y a quelque chose de cosmique dans cette nouvelle raison de vivre. Sereine, rassurée, elle trouve sécurisant le fait de porter un enfant; elle s'en trouve embellie et plus heureuse. Ce sont des jours fastes. S'informant sur les questions de pédagogie et de psychologie, elle prépare soigneusement l'arrivée de bébé.

Elle a un accouchement facile et un agréable retour à la maison. Il est facile d'être maman pour une native des Poissons. Elle a la vocation! Elle est si dévouée qu'elle s'épuise à courir continuellement au berceau de bébé pour le choyer et le dorloter. Elle est faite pour avoir beaucoup d'enfants. C'est d'ailleurs préférable, car elle risquerait de susciter de l'insécurité chez un enfant unique, qui serait surprotégé. Son trop plein d'amour peut nuire à l'épanouissement de son enfant, mais, intelligente et lucide, elle est armée pour prévenir ce problème.

Votre signe chinois

Période comprise entre les dates	Signe	Période comprise entre les dates	Signe
17 février 1950 – 5 février 1951	Tigre	11 février 1975 – 30 janvier 1976	Chat
6 février 1951 – 26 janvier 1952	Chat	31 janvier 1976 – 17 février 1977	Dragon
27 janvier 1952 – 13 février 1953	Dragon	18 février 1977 – 6 février 1978	Serpent
14 février 1953 – 2 février 1954	Serpent	7 février 1978 – 27 janvier 1979	Cheval
3 février 1954 – 23 janvier 1955	Cheval	28 janvier 1979 – 15 février 1980	Chèvre
24 janvier 1955 – 11 février 1956	Chèvre	16 février 1980 – 4 février 1981	Singe
12 février 1956 – 30 janvier 1957	Singe	5 février 1981 – 24 janvier 1982	Coq
31 janvier 1957 – 17 février 1958	Coq	25 janvier 1982 – 12 février 1983	Chien
18 février 1958 – 7 février 1959	Chien	13 février 1983 – 1er février 1984	Cochon
8 février 1959 – 27 janvier 1960	Cochon	2 février 1984 – 19 février 1985	Rat
28 janvier 1960 – 14 février 1961	Rat	20 février 1985 – 8 février 1986	Buffle
15 février 1961 – 4 février 1962	Buffle	9 février 1986 – 28 janvier 1987	Tigre
5 février 1962 – 24 janvier 1963	Tigre	29 janvier 1987 – 16 février 1988	Chat
25 janvier 1963 – 12 février 1964	Chat	17 février 1988 – 5 février 1989	Dragon
13 février 1964 – 1er février 1965	Dragon	6 février 1989 – 26 janvier 1990	Serpent
2 février 1965 – 20 janvier 1966	Serpent	27 janvier 1990 – 14 février 1991	Cheval
21 janvier 1966 – 8 février 1967	Cheval	15 février 1991 – 3 février 1992	Chèvre
9 février 1967 – 29 janvier 1968	Chèvre	4 février 1992 – 22 janvier 1993	Singe
30 janvier 1968 – 16 février 1969	Singe	23 janvier 1993 – 9 février 1994	Coq
17 février 1969 – 5 février 1970	Coq	10 février 1994 – 30 janvier 1995	Chien
6 février 1970 – 26 janvier 1971	Chien	31 janvier 1995 – 18 février 1996	Cochon
27 janvier 1971 – 15 janvier 1972	Cochon	19 février 1996 – 6 février 1997	Rat
16 janvier 1972 – 2 février 1973	Rat	7 février 1997 – 27 janvier 1998	Buffle
3 février 1973 – 22 janvier 1974	Buffle	28 janvier 1998 – 15 février 1999	Tigre
23 janvier 1974 – 10 février 1975	Tigre		

Pierre, fleur, qualité

Selon votre mois de naissance

Mois	Pierre	Fleur	Qualité
Janvier	grenat	œillet	constance
Février	améthyste	violette	sincérité
Mars	sanguine	jonquille	sagesse
Avril	diamant	pois de senteur	innocence
Mai	émeraude	pivoine	amour
Juin	perle	rose	richesse
Juillet	rubis	delphinium	grandeur d'âme
Août	sardoine	glaïeul	fidélité conjugale
Septembre	saphir	reine-marguerite	bonheur
Octobre	opale	gaillardie	espérance
Novembre	topaze	chrysanthème	félicité
Décembre	turquoise	narcisse	prospérité

Notes:

Bibliographie

Antier, Edwidge. *Mémoires d'un nouveau-né,* Paris, Scarabée & Co., 1984.

Brière, Paule. *Attention parents fragiles,* Montréal, Boréal, 1989.

Chenot-Smouliansky, Michèle. *Le journal de la future maman,* Paris, Nathan, 1990.

Delprofe-Guenzet, Martine. *L'agenda-conseil de votre grossesse,* Paris, Solar, 1991.

Doré, Nicole et Danielle Le Hénaff. *Mieux vivre avec son enfant,* Direction des communications du ministère de la Santé et des Services sociaux, 1987.

Dussault, Joanne et Claudia Demers. *Exercices aquatiques pour les futures mamans,* Montréal, L'Homme, 1987.

Dussault, Joanne. *Respirations et positions d'accouchement,* Montréal, L'Homme, 1986.

Klaus, Marshall H. et Phyllis H. Klaus. *L'étonnant nouveau-né,* Montréal, L'Homme, 1990.

Lambert-Lagacé, Louise. *Comment nourrir son enfant de la naissance à 2 ans,* Montréal, L'Homme, 1980.

Lambert-Lagacé, Louise. *Le défi alimentaire de la femme,* Montréal, L'Homme, 1988.

Ligue La Leche. *L'art de l'allaitement maternel,* Montréal, L'Homme, 1985.

Neuf mois pour la vie, Corporation professionnelle des médecins du Québec, 1989.

Pernoud, Laurence. *J'attends un enfant,* Paris, Horay, 1990.

Pernoud, Laurence. *J'élève mon enfant,* Paris, Horay, 1987.

Philips, Angela, Nicky Lean et Barbara Jacobs. *Your body, your baby, your life,* Londres, Sphere, 1983.

Pratte Marchessault, Yvette. *En attendant notre enfant,* Montréal, L'Homme, 1989.

Scher, Jonathan et Carol Dix. *Mon enfant naîtra-t-il en bonne santé?,* Montréal, L'Homme, 1985.

Whalley, Janet, Penny Simkin et Ann Kepler. *Bientôt maman,* Montréal, L'Homme, 1987.

Table des matières

NOTES

NOTES

NOTES

NOTES

NOTES

NOTES